Découvrir un sens à sa vie

Infographie : Johanne Lemay

Données de catalogage disponibles auprès de
Bibliothèque et Archives nationales du Québec

DISTRIBUTEURS EXCLUSIFS:
Pour le Canada et les États-Unis:
MESSAGERIES ADP inc.*
Téléphone : 450-640-1237
Internet: www.messageries-adp.com
* filiale du Groupe Sogides inc.,
filiale de Québecor Média inc.

Pour la France et les autres pays:
INTERFORUM editis
Téléphone : 33 (0) 1 49 59 11 56/91
Service commandes France Métropolitaine
Téléphone : 33 (0) 2 38 32 71 00
Internet: www.interforum.fr
Service commandes Export - DOM-TOM
Internet: www.interforum.fr
Courriel: cdes-export@interforum.fr

Pour la Suisse:
INTERFORUM editis SUISSE
Téléphone : 41 (0) 26 460 80 60
Internet: www.interforumsuisse.ch
Courriel: office@interforumsuisse.ch
Distributeur: OLF S.A.
Commandes:
Téléphone : 41 (0) 26 467 53 33
Internet: www.olf.ch
Courriel: information@olf.ch

Pour la Belgique et le Luxembourg:
INTERFORUM BENELUX S.A.
Téléphone : 32 (0) 10 42 03 20
Internet: www.interforum.be
Courriel: info@interforum.be

02-21

Imprimé au Canada

La traduction anglaise a été publiée par
Beacon Press sous le titre
Man's Search for Meaning

Dépôt légal : 2021
Bibliothèque et Archives nationales du Québec

ISBN (version papier) 978-2-7619-5771-7
ISBN (version numérique) 978-2-7619-5772-4

Gouvernement du Québec - Programme de crédit d'impôt pour l'édition de livres - Gestion SODEC - www.sodec.gouv.qc.ca

L'Éditeur bénéficie du soutien de la Société de développement des entreprises culturelles du Québec pour son programme d'édition.

Conseil des arts du Canada — Canada Council for the Arts

Nous remercions le Conseil des arts du Canada de l'aide accordée à notre programme de publication.

Financé par le gouvernement du Canada
Funded by the Government of Canada
Canada

Nous remercions le gouvernement du Canada de son soutien financier pour nos activités de traduction dans le cadre du Programme national de traduction pour l'édition du livre.

Nous reconnaissons l'aide financière du gouvernement du Canada par l'entremise du Fonds du livre du Canada pour nos activités d'édition.

VIKTOR E. FRANKL

Découvrir un sens à sa vie

Grâce à la logothérapie

Traduit de l'anglais
par Clifford J. Bacon et Louise Drolet

Découvrir un sens à sa vie a été publié
pour la première fois en 1946 en allemand sous le titre
Em Psycholog erlebt das Konzentrationslager.

Préface de Gordon W. Allport

Viktor Frankl, psychiatre et auteur de ce livre, demandait parfois à ses patients, qui souffraient de divers tourments petits et grands : « Pourquoi ne vous suicidez-vous pas ? » C'est dans leurs réponses qu'il trouvait généralement les grandes lignes de la logothérapie : chez l'un, c'est l'amour de son enfant qui l'attache à la vie ; chez l'autre, c'est un don, un talent à utiliser ; chez le troisième, c'est une cause qui mérite d'être poursuivie. L'objet et le défi de la logothérapie sont de faire d'une vie brisée un modèle de sens et de responsabilité.

Dans ce livre, le docteur Frankl tente de nous expliquer comment les expériences qu'il a vécues l'ont mené à la logothérapie. Dans les camps de concentration où il fut longtemps prisonnier, il s'est senti dépouillé de tous ses attributs humains. Son père, sa mère, son frère et sa femme périrent dans ces camps ; il fut le seul, avec sa sœur, à survivre à l'extermination des siens. Comment pouvait-il continuer à croire – lui qu'on avait dépouillé de tous ses biens, lui qui avait vu ses valeurs anéanties, lui qui crevait de faim et de froid, lui qui fut la victime de brutalités innombrables et qui s'attendait d'une heure à l'autre à être exécuté –, comment pouvait-il continuer à croire que la vie valait d'être vécue ? Un psychiatre qui s'est vu réduit à une si pénible extrémité mérite d'être écouté. Il peut mieux que personne nous décrire la condition humaine avec sagesse et compassion. Les paroles du docteur Frankl sonnent profondément juste, car elles reposent sur des expériences trop graves pour être mises en doute. Et ce qu'il a à nous dire a encore plus de force quand on pense à sa position éminente au sein de la faculté de médecine de l'université de Vienne et à la renommée dont jouissent les cliniques de logothérapie qui se sont établies dans plusieurs pays sur le modèle de la fameuse polyclinique de neurologie de Vienne.

On ne peut s'empêcher de comparer l'approche de la théorie et de la thérapie faite par Viktor Frankl à l'œuvre de son prédécesseur, Sigmund Freud. Ces deux médecins se sont principalement intéressés à la nature et au traitement des névroses. Selon Freud, c'est l'angoisse consécutive à des désirs inconscients et contradictoires qui est à l'origine de ces maux. Frankl, quant à lui, distingue plusieurs formes de la névrose dont certaines sont imputables à l'incapacité de trouver un sens à sa vie et de se sentir responsable. Freud a étudié la frustration dans la vie sexuelle; Frankl, la frustration dans la recherche du sens à la vie. Il existe actuellement en Europe une certaine tendance à contester les principes freudiens et à se tourner vers l'analyse existentielle, qui existe sous différentes formes qui s'apparentent les unes aux autres - l'école de la logothérapie en fait partie. Il serait erroné de croire que Frankl nie Freud - il a, au contraire, construit sa propre théorie sans négliger les découvertes du père de la psychanalyse; non plus qu'il se querelle avec les tenants d'autres formes de thérapie existentielle, acceptant volontiers toute parenté avec elles.

Le récit qui suit est court et très émouvant. Je l'ai lu à deux reprises, d'un seul trait, incapable de m'en arracher tant il est envoûtant. Vers le milieu de ce récit, Viktor nous parle de sa philosophie et de la logothérapie. Il nous la présente avec une telle discrétion que ce n'est qu'après avoir fini le livre que le lecteur comprend que l'ouvrage est beaucoup plus qu'un témoignage sur l'inhumanité des camps de concentration.

Le lecteur apprend beaucoup par cette autobiographie. Il apprend comment réagit un être humain lorsqu'il se rend soudain compte qu'il n'a rien à perdre. La description que nous donne Frankl de ce mélange d'émotion et d'apathie caractérisant l'attitude du prisonnier est saisissante. Ce dernier manifeste d'abord une curiosité froide et détachée. Puis il a recours à des stratagèmes et à des expédients afin de préserver la pauvre existence qui lui reste : il sait que ses chances de survie ne sont pas très élevées. Il arrive à tolérer la faim, l'humiliation, la peur et sa profonde colère devant l'injustice qui lui est faite grâce aux souvenirs des personnes qu'il aime, qu'il conserve jalousement en lui, grâce aussi à la religion, à son sens de l'humour et grâce aux regards qu'il jette sur les beautés curatives de la nature – un arbre ou un coucher de soleil.

Mais ces moments de bien-être ne font naître chez lui le désir de vivre que s'ils l'aident à comprendre son absurde souffrance. C'est ici que nous rencontrons un thème central : vivre c'est souffrir ; survivre c'est trouver un sens à sa souffrance. Mais personne ne peut communiquer ce sens à quelqu'un d'autre. Chaque individu doit trouver sa propre réponse et assumer la responsabilité de mettre cette réponse en application. S'il réussit, il continuera à évoluer en dépit de toutes les injustices qui lui sont faites. Frankl aime beaucoup citer Nietzsche : « Celui qui a un "pourquoi" lui donne un but, peut vivre avec n'importe quel "comment". » Dans un camp de concentration, tout concourt à enlever au prisonnier son autonomie. Tous les buts habituels de son existence lui sont ravis. Il ne lui reste que « la dernière des libertés humaines » – choisir l'attitude qu'il adopte dans les situations qu'il est obligé de vivre. Cette suprême liberté, reconnue par les stoïques et les existentialistes modernes, revêt une importante signification dans le récit de Frankl. Les prisonniers étaient des gens ordinaires ; pourtant, certains d'entre eux ont prouvé que l'homme est capable de s'élever au-dessus de son sort.

En tant que psychothérapeute, l'auteur, bien sûr, s'interroge sur la manière d'aider les hommes à acquérir cette capacité humaine essentielle. Comment peut-on aider une personne à devenir responsable de sa vie, si désespérée que soit sa situation ? Frankl nous raconte avec émotion une séance de thérapie collective avec ses compagnons.

À la demande des éditeurs, le docteur Frankl a ajouté à cet ouvrage une description des principes fondamentaux de la logothérapie ainsi qu'une biographie. Jusqu'à maintenant, la plupart des ouvrages de cette « troisième école viennoise de psychothérapie » (les prédécesseurs étant les écoles freudienne et adlérienne) ont été publiés en allemand. Le lecteur appréciera donc ce supplément ajouté par le docteur Frankl à son récit personnel.

À la différence de plusieurs existentialistes européens, Frankl n'est ni pessimiste ni antireligieux. Cet écrivain qui fait pleinement face à l'ubiquité de la souffrance et aux forces du mal reste au contraire optimiste face à la capacité de l'homme de transcender sa situation et de découvrir la voie qui va le guider.

Je recommande ce petit livre de tout cœur. Ce joyau de narration dramatique, qui porte sur le plus profond des problèmes humains, a autant de valeur littéraire que philosophique et constitue une brillante introduction au mouvement psychologique le plus important de notre époque.

GORDON W. ALLPORT[1], 1959
professeur de psychologie, université Harvard

1. Gordon W. Allport, ancien professeur de psychologie à l'université Harvard, fut l'un des principaux écrivains et éducateurs américains dans ce domaine. Il est l'auteur d'un grand nombre de travaux originaux sur la psychologie ainsi que l'éditeur du *Journal of Abnormal and Social Psychology*. C'est grâce à ses travaux audacieux que la théorie du docteur Frankl fut introduite aux États-Unis ; c'est également grâce à lui que l'intérêt manifesté pour la logothérapie augmente de jour en jour.

Préface de Gabriel Marcel

C'est à Vienne que je rencontrai Viktor Frankl pour la première fois, et je n'ai certes pas oublié l'émotion profonde que je ressentis en présence de ce rescapé des camps de la mort. Je fus d'ailleurs en même temps très frappé par son calme, au moins apparent, par sa maîtrise de soi, et pourtant sa femme et d'autres membres de sa famille avaient succombé. Les paroles très mesurées que prononça devant moi ce psychologue me touchèrent au plus profond : j'avais le sentiment d'être en présence d'un envoyé venu d'un autre monde, un Émissaire, pour reprendre le titre d'une œuvre alors en cours et que je ne devais achever que deux ans plus tard.

Il n'est que trop facile, hélas, de prévoir ce que sera la réaction de nombreux consommateurs en découvrant ce petit livre chez leur libraire : « Encore un livre sur les camps de concentration ! N'en aura-t-on jamais fini avec eux ? Je suis saturé et d'ailleurs je n'ai plus rien à apprendre là-dessus. »

Consommateur, ai-je dit. Le mot peut surprendre, mais il exprime bien ce que je veux dire. Il vise ceux qui consomment de la littérature comme on consomme du homard ou des huîtres, et qui demandent à leur cuisinière de varier les menus. Seulement ici il ne s'agit pas de littérature, et il faut surtout rappeler que l'essentiel – la mort et l'amour, atteints dans leur vérité, comme ils ne le sont que chez les plus grands, si peu nombreux – ne saurait figurer sur aucun « menu », ne se « consomme » point.

Une Allemande, dont je devais apprendre par la suite qu'elle avait caché des juifs pendant la guerre, et qui n'a cessé de faire, depuis 1945, les efforts les plus méritoires pour recréer des liens entre jeunes Français et jeunes Allemands, se désolant devant moi de voir l'an dernier se multiplier les manifestations auxquelles donnait lieu, en France, le 20e anniversaire du retour des déportés, et se perpétuer ainsi des souvenirs peu propres à entretenir l'amitié franco-allemande, je lui dis, doucement d'ailleurs et sans âpreté : Que voulez-vous, ce qui s'est passé dans les camps de la mort est ineffaçable, Auschwitz, Bergen-Belsen, Mauthausen et tant d'autres. Ces lieux infernaux sont et resteront les repères d'une histoire qu'aucun homme, digne de ce nom, n'a le droit de laisser de côté, car elle nous concerne tous. Les témoignages des survivants ne peuvent pas ne pas nous persuader de la réalité de l'enfer, tout comme la vie des saints nous assure de la réalité du ciel.

Tout cela devrait d'ailleurs être pensé ensemble, hors des pseudo-synthèses auxquelles ont procédé, en général, les théologiens patentés, ceux pour qui la théologie n'était qu'un champ de travail comme un autre, lieu d'érudition et de ratiocination. Mais il est à croire que l'Histoire dont il s'agit ici ne se laissera déchiffrer qu'à la fin des temps et dans des conditions qu'il ne nous est même pas donné d'imaginer.

Ce que je voudrais dire ici, c'est que le petit livre de Viktor Frankl, paru en 1946, mais que j'ai lu seulement ces derniers temps, constitue un témoignage, ne disons pas unique, mais d'une qualité exceptionnelle, et à côté duquel beaucoup d'autres paraissent seulement anecdotiques. Ce qui est évoqué ici avec une précision bouleversante, ce sont les étapes par lesquelles ont en général passé les déportés au cours de ce que j'appellerai plus volontiers une descente aux enfers qu'un chemin de croix.

Rien certes, absolument rien de l'horreur, n'est ici masqué ou édulcoré, mais rien non plus ne traduit cette volonté d'exhibitionnisme sadique que pourrait du reste, à la rigueur, excuser l'atrocité sans nom des épreuves subies. Les pages les plus belles et les plus surprenantes sont pourtant celles où Frankl nous révèle que, non pas chez tous, certes, mais chez beaucoup, le besoin de sauvegarder leur dignité a persisté contre toute vraisemblance.

Je n'ai pu retenir mes larmes en lisant le passage où il évoque la façon dont s'est imposée à lui, bien plus que l'image, la présence de sa compagne - une jeune femme de vingt-quatre ans, incarcérée elle aussi dans un camp d'extermination et dont il ne savait pas si elle était encore en vie. Mais cette présence s'imposait à lui avec une évidence et une autorité telles que la question de savoir si elle était encore au nombre de ceux que nous appelons les vivants perdait en quelque sorte de son importance et jusqu'à son sens.

Bien émouvantes aussi sont les pages où Frankl évoque à la fois le sens de la beauté et l'humour, qui subsistaient par moments, comme les traces ineffaçables du monde véritable, du monde des hommes.

Il ne faudrait surtout pas tenter de se rassurer, en quelque sorte, en surestimant l'importance de ces éléments positifs. Ce qui importe, et de loin, c'est la stupeur et l'épouvante en face de la somme d'inhumanité qui s'est déployée dans les camps. Il serait, hélas, tout à fait faux, ici encore, de se tranquilliser en cherchant à se persuader qu'en dehors d'une poignée de tortionnaires il y a eu là, dans ce qu'on ose à peine appeler le personnel, beaucoup de gens simplement médiocres. La réalité est infiniment pire. Frankl nous dit vers la fin de son livre que les êtres humains se divisent en deux catégories, les honnêtes gens et les autres. Le mot « convenable » traduit du reste assez imparfaitement le terme allemand *anständig*, et le mot « décent » qui serait possible en anglais n'est pas non plus tout à fait adéquat. Le terme allemand me paraît exprimer l'idée d'une certaine tenue. Mais hélas, avec quelle facilité cette tenue a cédé, pour faire place au plus innommable des fléchissements, et comment ne pas évoquer, même en ne tenant compte que de l'actualité, toutes les situations, en Algérie ou à Saint-Domingue, ou en Indochine, où il a été exactement de même.

Et c'est là certes une raison de plus de lire ce livre avec la plus grande attention, de proscrire, je dirai presque de traquer en soi tout sentiment de supériorité. La seule caractéristique, peut-être sans analogue, des camps allemands, me semble avoir été la rigueur méthodique ou, pour employer un terme allemand qui n'a guère d'équivalent dans notre langue, la *Gründlichkeit,* avec laquelle a été poursuivie l'œuvre d'extermination.

Voilà qui, peut-être, pourrait donner lieu à une remarque importante. Oh! il ne s'agit certes pas de faire l'apologie du désordre, mais il convient, je crois, d'observer que l'ordre sous ses formes bureaucratiques, là où il est poussé à l'extrême, ne présente pas seulement un caractère de neutralité par rapport aux valeurs elles-mêmes, mais qu'il contient en soi un germe de perversion, peut-être d'abord parce que l'apparence de perfection qu'il affecte comporte une complaisance à soi-même, dont je crains bien qu'on ne puisse pas contester le caractère luciférien. Mais du luciférien au satanique, la transition s'opère insensiblement. Que les technocrates auxquels notre monde est de plus en plus livré, hélas, prennent garde à ce péril auquel ils sont tous exposés, si la volonté d'organisation qui les anime ne trouve pas son contrepoids dans cette force qui ne réside pas dans l'âme et où les écervelés croiront trouver le contraire d'une force, car elle s'appelle l'humilité.

GABRIEL MARCEL, 1967

À la mémoire de ma mère

Préface à l'édition de 1984

Le présent ouvrage a été réimprimé plus de cent quarante fois en langue anglaise. Il a été traduit en vingt-deux langues et publié à trois millions et demi d'exemplaires. C'est là un fait qui explique peut-être pourquoi les journalistes, et plus particulièrement ceux de la télévision, commencent presque toujours leurs entrevues par des chiffres avant de s'exclamer :

« Dr Frankl, votre livre est un grand best-seller, quel effet votre succès vous fait-il ? » Ce à quoi je réponds qu'en premier lieu je ne vois pas en cela un exploit de ma part mais plutôt une expression de la détresse de notre temps : si des millions de gens achètent un livre dont le titre même porte sur le sens de la vie, c'est qu'il doit s'agir d'une question cruciale.

Certes, un autre facteur peut avoir contribué au succès de mon livre : la deuxième partie, théorique (« La logothérapie en bref »), a été conçue d'après la leçon tirée de la première partie, le récit autobiographique (« Les expériences vécues par un psychiatre dans un camp de concentration »), qui apporte la confirmation existentielle de mes théories. En conséquence, les deux parties s'assurent une crédibilité mutuelle.

Obtenir un succès d'auteur ne faisait nullement partie de mes intentions lorsque j'écrivis mon livre en 1945. Je le rédigeai en neuf jours avec la ferme intention de le publier anonymement. En fait, dans la première édition en allemand, mon nom n'apparaît pas sur la couverture. Au dernier moment, cependant, je me suis rendu aux supplications de mes amis, qui voulaient que mon nom paraisse au moins sur la page de titre, et cela bien que j'aie écrit cet ouvrage avec le souhait de rester anonyme et avec la conviction que, de cette manière, mon livre ne pourrait jamais contribuer à ma réputation littéraire. Mon but était autre. Je voulais simplement montrer au lecteur, à l'aide d'exemples concrets, que la vie a toujours un sens, même dans les circonstances les plus pénibles. Je croyais qu'en démontrant ce principe dans une situation aussi extrême que celle des camps de concentration, mon livre serait lu et compris. Je me sentais donc tenu de raconter ce que j'avais vécu, afin d'aider les gens portés au désespoir.

Il est donc à la fois étrange et remarquable que, de tous les livres que j'ai écrits, celui que je désirais publier de façon anonyme soit devenu un succès. C'est pourquoi je ne cesse de répéter à mes étudiants, tant en Europe qu'en Amérique :

« Ne visez pas le succès. Car on ne peut pas poursuivre le succès, pas plus qu'on ne peut poursuivre le bonheur. Ils ne sont que des effets secondaires du dévouement que l'on manifeste pour une cause plus grande que soi-même ou qu'une autre personne. Le bonheur, comme le succès, arrive quand on ne s'y attend pas. Écoutez ce que votre conscience vous dicte et agissez au meilleur de votre connaissance. Alors vous verrez qu'à la longue le succès vous viendra précisément parce que vous n'y pensiez pas. »

Si, cher lecteur, vous tirez une leçon des événements d'Auschwitz grâce au texte qui suit, cette préface vous donnera peut-être la clé qui vous permettra de rencontrer un succès inattendu.

La présente édition comporte un nouveau chapitre visant à mettre à jour les conclusions théoriques de l'ouvrage. Tiré d'une conférence que je donnai à titre de président honoraire du troisième congrès mondial de logothérapie en Allemagne de l'Ouest en 1983, il forme la « Postface à l'édition de 1984 » au présent ouvrage et s'intitule « Pour un optimisme tragique ». Il traite de certaines préoccupations actuelles et de la façon de dire « oui à la vie » en dépit de tous ses aspects tragiques. Pour en revenir à son titre, il est à espérer que les leçons que notre passé « tragique » nous a enseignées déboucheront sur un « optimisme » face à l'avenir.

VIKTOR FRANKL
Vienne, 1983

PREMIÈRE PARTIE

Les expériences vécues par un psychiatre dans un camp de concentration

Ce livre n'est pas un compte rendu de faits et d'événements, mais une analyse des expériences vécues, de tout temps, par des millions de prisonniers. Le lecteur y trouvera l'histoire d'un camp de concentration, racontée par l'un de ceux qui y ont survécu. Plutôt que la liste interminable des atrocités nazies, dont on a souvent parlé (et auxquelles on a malheureusement moins souvent cru), il lira ici celle des petits tourments infligés, jour après jour, à des êtres humains. Cet ouvrage, autrement dit, essayera de répondre à la question suivante: de quelle façon se reflétait la vie quotidienne dans un camp de concentration dans l'esprit de prisonniers ordinaires?

La plupart des événements décrits dans ces pages ne se produisirent pas dans de grands camps de sinistre réputation, mais dans de plus petits, ceux-là même où l'on procédait à la véritable extermination. Ce livre ne raconte ni les souffrances ni la mort de grands martyrs ou de grands héros, non plus qu'il ne relate les faits et gestes de prisonniers connus ou de certains capos - ces prisonniers bien notés à qui l'on accordait des privilèges. Il est beaucoup moins consacré aux souffrances d'hommes marquants qu'aux sacrifices, à l'agonie et à la mort de cette immense armée de victimes inconnues dont on ne trouve nulle part mention; ces victimes anonymes qui ne portaient pas de signe distinctif particulier sur leurs manches et pour lesquelles les capos éprouvaient une profonde aversion. Ceci pourrait paraître étonnant car, tandis que la majorité des prisonniers ne recevaient que peu ou pas de nourriture, les capos, eux, ne souffraient jamais de la faim ; plusieurs d'entre eux vivaient d'ailleurs mieux dans les camps qu'ils ne l'avaient fait auparavant. Les capos étaient généralement plus sévères que les gardes envers les prisonniers et il leur arrivait de les battre encore plus cruellement que ne le faisaient les SS. Ils étaient bien entendu choisis en fonction de certaines prédispositions les rendant aptes à accomplir ce que l'on attendait d'eux. S'ils ne se conformaient pas aux exigences, ils étaient rétrogradés. Ceux qui étaient « conformes » devenaient rapidement semblables aux SS et aux gardiens du camp. On peut d'ailleurs étudier les comportements des uns et des autres en s'appuyant sur les mêmes principes psychologiques.

Pour ceux qui n'y ont pas vécu, il est souvent malaisé, en raison de la compassion ou de la sympathie que celle-ci leur inspire, de se faire une idée juste de la vie dans les camps. Il est difficile d'imaginer les efforts faits par les prisonniers pour survivre, pour obtenir ne fût-ce qu'un simple morceau de pain.

La vie concentrationnaire fut une lutte acharnée pour la vie, que ce soit pour la sienne ou pour celle d'un ami.

Lorsqu'on annonçait officiellement, par exemple, qu'un transport de prisonniers d'un camp à un autre allait avoir lieu, personne n'ignorait que la destination finale était la chambre à gaz. On envoyait en effet les prisonniers faibles ou malades devenus incapables de travailler dans les camps où se trouvaient les chambres à gaz et les fours crématoires. Le processus de sélection déclenchait alors une mêlée générale opposant tous les prisonniers, ou un groupe à un autre. Une seule chose comptait : faire rayer son nom ou celui d'un ami de la liste fatale, même si chacun savait que pour chaque condamné gracié il fallait trouver une autre victime. Chaque convoi comprenait un nombre précis de personnes. Faire partie de l'un ou de l'autre revenait au même puisque chaque prisonnier n'était qu'un simple numéro. Dès l'admission au camp (c'était la méthode employée à Auschwitz), on confisquait tous les documents et tous les biens. Les prisonniers avaient généralement falsifié leur nom ou leur profession sur leurs papiers d'identité, mais les autorités ne s'y intéressaient pas. Seul comptait pour eux le numéro des détenus. Celui-ci était tatoué sur la peau et obligatoirement attaché sur les pantalons, les vestons et les manteaux. Lorsqu'un garde voulait porter une accusation contre un prisonnier, il n'avait qu'à jeter un regard sur son numéro (comme nous les redoutions, ces regards !) ; jamais il ne demandait son nom.

Pour en revenir aux convois, nous n'avions ni le temps ni l'envie de nous poser des problèmes moraux. Chaque individu était dominé par une idée fixe : se maintenir en vie, pour sa famille qui l'attendait ou pour sauver ses amis. Alors, sans la moindre hésitation, il s'arrangeait pour qu'un autre prisonnier, un autre « numéro » occupe sa place dans le convoi.

Comme je l'ai dit plus haut, on utilisait une méthode négative pour la sélection des capos. N'étaient choisis pour ce rôle que les prisonniers les plus brutaux (encore qu'il y eût quelques exceptions). Indépendamment de la sélection des capos, dont se chargeaient les SS, une sorte d'autosélection se faisait de manière continue parmi les prisonniers. Généralement, seuls se maintenaient en vie les prisonniers qui, ayant passé d'un camp à un autre pendant plusieurs années, avaient abandonné tous leurs scrupules et qui, pour sauver leur peau, étaient prêts à employer tous les moyens, même la force brutale, le vol, et la trahison. Nous qui sommes revenus des camps, par chance ou par miracle - appelez cela comme vous voudrez -, nous savons : les meilleurs d'entre nous y sont morts.

Il existe de nombreux témoignages sur les camps de concentration. Nous n'accorderons une importance aux faits que dans la mesure où ils font partie des expériences de l'être humain. C'est la véritable nature de ces expériences que cet essai tentera de décrire. Pour ceux qui ont connu les camps, nous essaierons d'éclaircir ces expériences à la lumière des connaissances actuelles. Et pour ceux qui ne les ont pas connus, nous tenterons d'en saisir le sens, de comprendre pourquoi ce pourcentage infime de prisonniers qui ont survécu ont trouvé ensuite la vie si difficile. Ces anciens prisonniers déclarent, lorsqu'on les questionne, qu'ils détestent raconter leurs expériences. « Ceux qui ont vécu dans un camp, disent-ils, n'ont besoin d'aucune explication ; quant aux autres, ils ne peuvent ni comprendre ce que les survivants ont éprouvé alors, ni ce qu'ils éprouvent aujourd'hui. »

Il n'est pas aisé de présenter le sujet d'une façon méthodique, car la psychologie, comme toutes les sciences, se doit de faire preuve d'un certain détachement. Mais ce détachement est-il possible chez le prisonnier ? Par ailleurs, si l'observation est faite par quelqu'un qui voit les choses de l'extérieur, on pourrait dire que cette personne est probablement trop éloignée de la réalité pour pouvoir en juger. Seul l'individu qui a vécu dans les camps sait. Mais il est possible que ses jugements manquent d'objectivité ou que ses évaluations soient hors de proportion. Ceci est inévitable. S'efforcer de passer par-dessus les préjugés est la principale difficulté d'un livre comme celui-ci, d'autant plus que cela demande en outre que l'on ait le courage de retracer certaines expériences profondément intimes. Ma première intention était de le publier en gardant l'anonymat, n'utilisant que mon numéro de prisonnier. Mais lorsque je terminai le manuscrit, je me rendis compte qu'il perdrait alors la moitié de sa valeur. Il fallait que j'aie le courage de mes opinions. Je me suis également gardé de supprimer quelque passage que ce soit, bien que j'aie horreur de l'exhibitionnisme.

Je laisserai donc à d'autres le soin de transformer le contenu de ce livre en réflexions théoriques. Celles-ci contribueront peut-être à l'étude de la psychologie de la vie carcérale, que l'on a entamée après la Première Guerre mondiale et qui a isolé le syndrome de la « maladie des barbelés ». Nous devons beaucoup à la Seconde Guerre mondiale qui, elle, nous a permis d'approfondir notre connaissance de la « psychopathologie des foules » (si je puis me permettre de citer l'expression bien connue de LeBon ainsi que le titre d'un de ses ouvrages), car elle nous a apporté à la fois la guerre des nerfs et les camps de concentration.

Étant donné que ce livre raconte mes expériences de prisonnier ordinaire, il est important que le lecteur sache - et je ne le dis point sans une certaine fierté - que je n'étais employé dans ce camp ni comme psychiatre ni comme médecin, à l'exception des quelques dernières semaines. Quelques-uns de mes collègues ont travaillé dans des postes de secours mal chauffés où ils faisaient des pansements avec du papier de rebut. Moi, j'étais simplement le numéro 119 104, et je faisais généralement partie d'une équipe dont la tâche était de poser une voie ferrée. Il m'est arrivé de devoir creuser sous un chemin, sans l'aide de personne, un canal d'adduction d'eau. Cet effort ne fut pas sans récompense ; juste avant Noël 1944, on me fit présent de « coupons-prime ». Ceux-ci étaient distribués par l'entreprise de construction à laquelle on nous avait pratiquement vendus comme esclaves et qui versait une somme fixe par jour et par prisonnier aux autorités du camp. Chaque coupon valait cinquante pfennigs et pouvait être échangé pour six cigarettes, mais si l'échange ne se faisait pas dans un court délai, le coupon perdait sa validité. Un jour, je devins l'heureux détenteur d'un bon pour douze cigarettes. Mais ce qui importait surtout, c'est que je pouvais échanger ces douze cigarettes contre une douzaine de soupes et que cela constituait un véritable sursis à la famine.

En fait, le privilège de fumer n'était accordé qu'au capo qui, chaque semaine, recevait sa quote-part de coupons, ou encore au prisonnier qui travaillait comme contremaître dans un entrepôt ou dans un atelier et qui recevait quelques cigarettes parce qu'il acceptait de faire des travaux dangereux. Mais les prisonniers échangeaient toujours ces cigarettes contre des soupes. Seuls faisaient exception à la règle ceux qui avaient perdu la volonté de survivre et qui voulaient « profiter de leurs derniers jours ». Aussi, lorsque nous voyions un camarade fumer, nous savions qu'il avait cessé de croire qu'il tiendrait le coup. Une fois perdue, la volonté de survivre recommençait rarement à se manifester.

Lorsqu'on examine la quantité prodigieuse de documentation amassée par des prisonniers désireux de comprendre ce qui s'est passé dans les camps, on constate qu'un individu enfermé dans un camp de concentration passe par trois phases psychiques correspondant à trois périodes: celle qui suit son incarcération, celle durant laquelle il s'ancre dans la routine quotidienne du camp, et celle enfin qui suit sa libération.

Le symptôme qui caractérise la première phase est le choc psychologique. Dans certaines conditions, il arrive que le prisonnier tombe en état de choc avant même d'être incarcéré. Les circonstances qui ont entouré ma propre admission en témoignent.

J'avais voyagé, avec mille cinq cents personnes, pendant plusieurs jours et plusieurs nuits: chaque wagon qui nous transportait contenait quatre-vingts personnes, entassées sur leurs bagages ou sur ce qui leur restait de leurs objets personnels. Les wagons étaient tellement bondés que les lueurs grises du jour ne pénétraient qu'à travers la partie supérieure des ouvertures pratiquées sur les parois. Nous croyions tous que le train nous acheminait vers une usine de guerre, où l'on nous soumettrait à des travaux forcés. Nous ne savions pas si nous étions encore en Silésie ou déjà en Pologne... C'est alors que la locomotive fit entendre un sifflement, un bruit inquiétant, comme si, dans un élan de commisération envers les infortunés enfermés dans les wagons, elle eût appelé au secours. Puis le train fut aiguillé sur une autre voie. Nous approchions sans doute de la gare d'arrivée. Soudain, un cri retentit dans les rangs des passagers inquiets: « Un panneau indicateur! C'est Auschwitz! » Une grande frayeur nous glaça le cœur. Auschwitz - ce nom évoquait pour nous les pires horreurs: chambres à gaz, fours crématoires, massacres. Le train avançait lentement, comme hésitant, comme s'il avait voulu nous épargner, le plus longtemps possible, cette affreuse découverte: Auschwitz!

Au lever du jour, nous vîmes se dessiner les contours d'un camp immense: plusieurs rangées de barbelés qui s'étendaient à perte de vue, des tours de guet, des projecteurs, des processions de silhouettes humaines en haillons se traînant le long d'une route désolée vers quelque destination inconnue. Des cris isolés et des commandements au sifflet retentirent. Nous ne savions pas ce que cela voulait dire. Mon imagination me fit voir des condamnés pendus à des potences. J'étais horrifié, mais il valait mieux que je le sois tout de suite : petit à petit, il faudrait que je m'habitue à des choses plus horribles encore, si horribles qu'elles en dépasseraient l'entendement.

Nous finîmes par arriver à la gare. Le silence qui régnait dans les wagons fut coupé par une série de commandements. Des commandements criés par des voix perçantes et rudes qui désormais allaient se faire entendre à longueur de journée dans tout le camp. Tout cela ressemblait étrangement au dernier cri d'un condamné, avec cette seule différence : il s'agissait de voix rauques et âpres, pareilles à celles d'hommes qu'on assassine à petit feu. Les portes des wagons s'ouvrirent brutalement et un petit détachement de prisonniers se précipita. Ils portaient un uniforme rayé et avaient la tête rasée, mais ils avaient l'air bien nourris. Ils parlaient toutes les langues d'Europe, avec un certain humour, ce qui, dans les circonstances, était plutôt macabre. Comme un noyé qui se raccroche à n'importe quoi, mon optimisme inné (lequel agit sur moi dans les situations les plus désespérées) s'accrochait à cette pensée : ces hommes ont bonne mine, ils sont de bonne humeur. Qui sait ? Peut-être la chance me sourira-t-elle aussi ?

Dans le domaine de la psychiatrie, il existe un phénomène qu'on appelle « l'illusion du sursis ». Le condamné, tout juste avant son exécution, caresse l'illusion qu'à la dernière minute on lui accordera un sursis. Nous conservions nous aussi un espoir et nous nous accrochions à l'idée que notre situation n'était pas aussi mauvaise que nous le pensions. Les joues rouges et les visages ronds de ces prisonniers suffisaient à nous remonter le moral. Nous ne nous doutions pas qu'ils appartenaient à un corps d'élite, spécialement chargé d'accueillir les trains qui, jour après jour, déversaient des flots de passagers. Ils se chargeaient des nouveaux venus et de leurs bagages, y compris des articles rares et de la bijouterie introduite en contrebande. Car Auschwitz devint une caverne d'Ali Baba dans cette Europe des dernières années de la guerre. On aurait certainement pu y trouver d'incomparables trésors tels que de l'or, de l'argent, du platine et des diamants, et cela non seulement dans les immenses entrepôts mais également dans les mains des SS.

Dans une baraque à peine assez grande pour contenir deux cents personnes, on avait entassé mille cinq cents prisonniers. Il faisait très froid et nous étions affamés. Il était impossible de s'asseoir ou de se coucher par terre. Nous n'avions rien reçu à manger pendant quatre jours, à part une très petite quantité de pain. Un jour, j'entendis les prisonniers les plus anciens, ceux qui avaient la responsabilité du baraquement, discuter à propos d'une épingle de cravate en platine rehaussée de diamants avec l'un des membres du peloton qui accueillait les convois. Il y avait fort à parier que la plus grande part du profit serait troquée contre de l'alcool - du schnaps. Je ne puis me rappeler combien de milliers de marks cela coûtait pour en avoir suffisamment pour passer une « agréable soirée », tout ce que je sais, c'est que, pour les prisonniers de longue date, le schnaps était devenu un besoin irrépressible. Qui aurait pu leur reprocher de vouloir s'enivrer ? Il y avait également un autre groupe de prisonniers à qui les SS procuraient une énorme quantité de boisson : les hommes qui travaillaient dans les chambres à gaz et les fours crématoires et qui savaient très bien qu'un jour on les remplacerait par d'autres bourreaux et qu'ils prendraient alors place parmi les victimes.

Presque tous les passagers de notre convoi entretenaient l'illusion qu'on leur accorderait un sursis, que tout finirait bien. Nous n'avions pas la moindre idée de ce qui se tramait derrière la scène qui allait bientôt suivre. On nous ordonna de laisser nos bagages dans le train, de former deux rangs - les femmes d'un côté, les hommes de l'autre -, et de défiler devant un officier SS. Je me surpris à cacher mon havresac sous mon manteau. Le rang dans lequel j'étais défila devant l'officier. Je savais que je passerais un mauvais quart d'heure si l'officier découvrait ma ruse. Il me jetterait par terre ; je savais cela par expérience. Instinctivement, je me redressai tandis que j'approchais de lui, afin de n'éveiller aucun soupçon. Puis nous nous retrouvâmes face à face. C'était un homme grand et mince, élégant dans son uniforme noir impeccable. Quel contraste avec nos vêtements débraillés et couverts de crasse après notre long voyage ! L'air insouciant, il tenait son coude droit dans sa main gauche. Sa main droite était levée et, avec l'index, il pointait tantôt à gauche, tantôt à droite, mais bien plus souvent à gauche. Nous ne comprenions pas le sens de ce simple geste, nous ne soupçonnions pas le moins du monde sa terrible signification.

Ce fut mon tour. Quelqu'un me chuchota à l'oreille qu'être envoyé à droite signifiait travailler, et que la gauche était réservée aux malades et à ceux qui étaient trop faibles pour pouvoir accomplir des travaux. Ces malheureux étaient envoyés dans un camp spécial. Je me laissai porter par le courant et, pliant quelque peu vers la gauche sous le poids de mon havresac, j'essayai de marcher droit. L'officier SS me regarda de la tête aux pieds, sembla hésiter, puis posa les mains sur mes épaules. J'essayai d'avoir l'air sûr de moi. Alors il me fit pivoter très lentement jusqu'à ce que je sois face au côté droit. Je me dirigeai de ce côté.

Le soir, on nous expliqua les règles du jeu. Il s'agissait de la première séance de sélection, du premier verdict d'existence ou de non-existence. Pour la majorité des membres de notre convoi - à peu près quatre-vingt-dix pour cent des prisonniers -, cela ne voulait dire qu'une chose : la mort. L'exécution de la sentence eut d'ailleurs lieu peu après notre arrivée : les personnes qu'on avait envoyées à gauche furent aussitôt emmenées aux fours crématoires. Ce bâtiment, me dit une personne qui y travaillait, portait l'inscription : « douches » au-dessus des portes, en plusieurs langues européennes. En y entrant, chaque détenu recevait un morceau de savon, et puis... Mais je n'ai pas besoin de raconter la suite des événements. Il existe assez de récits de cette horreur.

Ceux qui furent épargnés découvrirent la vérité le soir même. Je demandai à l'un des anciens prisonniers s'il avait vu mon collègue et ami P.

« L'a-t-on envoyé à gauche ? me demanda-t-il.

— Oui, répliquai-je.

— Alors tu pourras le voir là-bas, dit-il.

— Où ? » Quelqu'un pointa du doigt vers une cheminée, à quelque cent mètres de distance. Une colonne de feu s'élevait dans le ciel gris d'Auschwitz, qui se transforma bientôt en fumée.

« Le voilà ton ami, il monte au ciel », fut la réplique. Mais je ne comprenais toujours pas. Et l'on dut m'expliquer très clairement.

Mais j'anticipe. Car, d'un point de vue psychologique, nous avions encore un long chemin à faire, de notre arrivée à la gare à notre première nuit à Auschwitz.

Sous l'escorte de gardes SS armés de fusils chargés, nous traversâmes le camp en courant, devant les barbelés électrifiés, jusqu'à la salle de désinfection ; ceux qui avaient survécu à la première séance de sélection allaient enfin avoir l'occasion de prendre une véritable douche. L'illusion du sursis s'était à nouveau emparée de nous. Les SS se montrèrent tout à fait charmants, et nous comprîmes très vite pourquoi. Leur attitude avait changé car ils avaient vu nos montres et essayaient de nous persuader, sur un ton extrêmement aimable, de les leur céder. Après tout, ne serions-nous pas un jour dépossédés de tous nos biens ? En outre, pourquoi n'offririons-nous pas notre montre à quelqu'un qui nous semblait sympathique ? Peut-être en serions-nous récompensés un jour.

Nous attendîmes dans une baraque qui semblait servir d'antichambre à la salle de désinfection. Soudain, les SS apparurent et étendirent des couvertures sur lesquelles on nous ordonna de jeter tous nos biens de valeur, montres et bijoux. Il y avait parmi nous des personnes naïves qui demandaient si elles pouvaient garder leur alliance, ou une médaille, ou une breloque porte-bonheur, ce qui ne manquait pas d'amuser les prisonniers plus expérimentés qui aidaient les SS dans cette opération. Ces gens ne comprenaient pas qu'on allait leur prendre tout ce qu'ils possédaient.

J'essayai de faire appel à l'un des prisonniers plus anciens. M'approchant furtivement de lui, je lui montrai un rouleau de papier qui se trouvait dans la poche intérieure de mon manteau et lui dis : « Écoutez, ceci est le manuscrit d'un livre scientifique. Je sais ce que vous allez me répondre : que je devrais m'estimer heureux d'être toujours en vie et que je ne dois rien attendre de plus. Mais je n'y puis rien. Je veux sauver ce manuscrit à tout prix ; il contient l'œuvre de ma vie. Vous comprenez ? »

Oui, il commençait à comprendre. Une expression compatissante se répandit d'abord sur son visage, pour se transformer ensuite en sourire amusé, puis en rictus moqueur et insultant. C'est alors qu'en réponse à ma question il hurla le mot qui était entendu le plus souvent dans le camp : « Merde ! » Puis il éclata en invectives. Je découvris alors l'entière vérité et en arrivai au point culminant de la première phase de ma réaction psychologique : j'oblitérai tout souvenir de ma vie antérieure.

Soudain, il y eut de l'agitation parmi mes compagnons de voyage qui étaient restés là, blêmes de peur, à discuter en vain. Une fois de plus, on hurla des ordres. Sous une avalanche de coups, les gardes nous firent entrer précipitamment dans l'antichambre de la salle de douches. Une fois à l'intérieur, nous nous rassemblâmes autour d'un SS qui nous attendait. Puis il nous déclara : « Vous avez deux minutes pour ôter tous vos vêtements et les déposer par terre à l'endroit où vous êtes. Vous n'emporterez rien avec vous à l'exception de vos souliers, de votre ceinture et de vos bretelles. Si vous avez un bandage herniaire, vous pouvez le garder. Je commence à compter... Allez-y ! »

Nous nous déshabillâmes sans perdre un instant. Comme le temps était terriblement limité, certains d'entre nous devinrent de plus en plus nerveux et maladroits. C'est alors que nous entendîmes les premiers claquements de fouet ; des lanières de cuir s'abattirent violemment sur les corps nus. Puis on nous emmena dans la pièce où on procédait au rasage des prisonniers ; on nous coupa à ras non seulement les cheveux, mais tous les poils du corps. Nous passâmes ensuite à la salle de douches, où nous dûmes de nouveau faire la queue. C'est à peine si nous nous reconnaissions. Certains prisonniers éprouvèrent un vif soulagement lorsqu'ils constatèrent que c'était bel et bien de l'eau qui jaillissait des douches.

Notre nudité nous apparut pleinement tandis que nous attendions notre tour ; nous ne possédions plus que nos corps nus – sans poils et sans cheveux. Que nous restait-il de ce qui nous rattachait matériellement à notre passé ? Pour moi, mes verres et ma ceinture. (Plus tard, j'allais être obligé d'échanger celle-ci contre un morceau de pain.) Les SS avaient également réservé une surprise à ceux qui portaient des bandages herniaires. Le soir, le prisonnier qui avait la charge de notre baraque nous accueillit avec un discours au cours duquel il nous donna sa parole d'honneur qu'il pendrait, personnellement, « à cette poutre » - il la désigna du doigt - tous ceux qui avaient cousu de l'argent ou des pierres précieuses à l'intérieur de leur bandage herniaire. Il nous expliqua que les lois du camp l'y autorisaient car il s'y trouvait depuis un certain temps.

Pour ce qui était de nos souliers, c'était plus compliqué encore. Bien que nous fussions censés les garder, ceux qui en possédaient d'assez robustes se virent contraints de les échanger pour des chaussures trop grandes ou trop petites. Quant à ceux qui avaient suivi les conseils apparemment bien intentionnés des anciens prisonniers et qui avaient coupé leurs bottes pour les raccourcir, en enduisant les bords de savon afin de cacher leur délit, ils s'étaient mis dans de vilains draps. On aurait dit que les SS n'attendaient que cela. Les prisonniers accusés de ce crime furent emmenés dans une chambre avoisinante. Nous entendîmes derechef des claquements de fouet et des cris d'hommes torturés. Mais cette fois, cela dura plus longtemps.

C'est ainsi que les illusions caressées par certains d'entre nous se dissipèrent une à une, et que nous les remplaçâmes par un sens de l'humour plutôt noir. Nous savions que nous n'avions rien à perdre, à l'exception de nos vies absurdement dénudées. Sous la douche, nous nous efforçâmes de rire de nous-mêmes et des autres. Après tout, c'était vraiment de l'eau qui coulait.

Hormis cet humour un peu particulier, nous éprouvâmes une autre sensation : la curiosité. Cette manière de réagir à une situation anormale ne m'était pas complètement inconnue. Alors que je venais d'avoir un accident de montagne et que je me trouvais en danger de mort, je n'éprouvai qu'une sensation au moment critique : la curiosité. J'étais curieux de savoir si je m'en sortirais sain et sauf ou bien avec une fracture du crâne ou d'autres blessures.

Une curiosité dénuée de toute compassion était prédominante à Auschwitz. Les prisonniers, humainement parlant, se détachaient et se désintéressaient des misères qui les entouraient, regardant ce spectacle avec la plus froide objectivité. Mais le prisonnier ne cultivait cet état d'esprit que pour se protéger. Ainsi, nous étions tous impatients de savoir quelles seraient les conséquences de notre séjour à l'extérieur du bâtiment, où les SS nous avaient envoyés alors que nous étions complètement nus et encore mouillés et qu'on était au seuil de l'hiver. Les jours suivants, notre curiosité fit place à de l'étonnement: celui de ne pas avoir pris froid.

Auschwitz réservait des surprises infinies aux nouveaux venus. Ceux qui parmi nous étaient médecins apprirent avant toute chose que: « Les manuels scolaires disent des mensonges! » On dit que l'être humain ne peut se passer d'un certain nombre d'heures de sommeil. C'est faux! J'avais été convaincu jusque-là que certaines choses m'étaient impossibles. Je ne pouvais dormir sans ceci ou vivre sans cela. Le premier soir, nous dormîmes dans des lits disposés par étages. Chaque étage (mesurant de deux à trois mètres de large) contenait neuf hommes obligés de dormir à même les planches et de se partager deux couvertures. Nous pouvions bien entendu dormir sur le côté, blottis les uns contre les autres, ce qui nous mettait relativement à l'abri du froid. Bien qu'il fût strictement défendu de garder ses chaussures, certains prisonniers s'en servirent en guise d'oreillers, même si elles étaient raidies par la boue. Autrement il fallait se nicher la tête contre un bras pratiquement disloqué. Pourtant, nous finîmes par nous endormir et oublier nos tourments.

Il nous arrivait à certains moments d'être étonnés de ce que nous étions capables d'endurer: nous n'avions pas la possibilité de nous brosser les dents, et pourtant, malgré cela et un manque presque absolu de vitamines, nos gencives étaient plus saines que jamais. Nous n'avions d'autre choix que d'enfiler, de jour en jour, les mêmes chemises, de sorte qu'au bout de six mois celles-ci tombaient en loques. Pendant plusieurs jours d'affilée, nous ne disposâmes d'aucun moyen de nous laver, même partiellement, car les conduites d'eau étaient gelées, et pourtant les plaies qui recouvraient nos mains salies par le travail ne suppuraient pas (sauf si nous avions des engelures). Quant à ceux qui avaient le sommeil léger et que le moindre bruit réveillait, ils dormaient maintenant profondément malgré les ronflements sonores de leur voisin.

Le grand écrivain russe Dostoïevski prétendait que l'être humain peut s'habituer à tout. Si, aujourd'hui, on nous demandait notre avis, nous répondrions : « Oui, l'être humain peut s'habituer à tout, mais ne nous demandez pas comment. » Mais ne brûlons pas les étapes de notre recherche. À ce moment-là, nous n'en étions de toute façon pas encore arrivés à ce stade. Nous étions toujours dans la première phase de nos réactions psychologiques.

Presque tous les prisonniers entretenaient l'idée de se suicider, ne fût-ce que par intermittence. Car leur situation semblait désespérée, et la perspective d'une mort prochaine se présentait constamment à leur esprit. La mort rôdait partout, et la pensée de tous ceux qui avaient déjà disparu était parfois intolérable. En raison de certaines convictions personnelles dont je parlerai plus tard, je me suis juré, le jour de mon arrivée, de ne jamais me « jeter contre la clôture ». Dans le camp, cette expression désignait la façon habituelle de se suicider - c'est-à-dire toucher la clôture de fil de fer barbelé électrifiée. Je n'eus pas trop de mal à prendre cette décision. De toute façon, à quoi cela aurait-il servi de s'ôter la vie puisque, pour le prisonnier ordinaire, l'espérance de vie était très réduite ? Il ne pouvait même pas s'appuyer sur la certitude qu'il figurerait parmi le petit nombre de prisonniers qui survivraient aux séances de sélection. Dans la phase du choc psychologique, le prisonnier d'Auschwitz ne craignait pas la mort. Au bout de quelques jours, il devenait même insensible à l'horreur des chambres à gaz - après tout, ne lui épargnaient-elles pas le suicide ?

Plus tard, des amis prétendirent que je faisais partie de ceux que l'internement à Auschwitz n'avait pas découragés de façon notoire. Il est vrai que, le surlendemain matin de notre arrivée au camp, une triste prédiction me concernant me fit sourire. Bien qu'il nous fût strictement défendu de sortir de nos « blocs », un de mes collègues, qui était arrivé à Auschwitz plusieurs semaines auparavant, entra clandestinement dans notre baraque. Il s'efforça de calmer notre inquiétude et de nous consoler de nos peines. Il était si maigre que nous ne l'avions pas reconnu tout de suite. Tout en s'efforçant de faire preuve d'optimisme et de bonne humeur, il nous donna quelques tuyaux : « N'ayez pas peur ! Ne craignez pas les sélections ! Le docteur M. (le médecin en chef des SS) a un faible pour les médecins. (Ce n'était pas vrai ; les paroles réconfortantes de mon ami se révélèrent trompeuses : le médecin de notre baraque, un homme d'une soixantaine d'années, m'apprit qu'il avait supplié le docteur M. de faire grâce à son fils, destiné à être gazé. Le docteur M. avait catégoriquement refusé.)

« Mais je vous en prie, poursuivit notre visiteur, rasez-vous tous les jours, même si vous devez le faire avec un morceau de verre. Vous aurez l'air plus jeune, et le grattement vous rougira les joues. Si vous tenez à la vie, je n'ai qu'un conseil à vous donner : ayez l'air d'être en état de travailler. Si vous avez le malheur de boiter à cause d'une ampoule au talon ou quelque chose du genre, et qu'un SS vous surprend, il vous fera signe de vous ranger sur le côté et, le lendemain, il est à peu près certain qu'on vous gazera. Savez-vous ce qu'on entend par « musulman » ? Un misérable, un homme au bout du rouleau, que la maladie a rendu squelettique, et qui n'est plus en mesure de travailler… Voilà ce qu'est un « musulman ». Tôt ou tard, un « musulman » se retrouve à la chambre à gaz. Alors rappelez-vous ceci : si vous vous rasez, si vous vous tenez bien droits et marchez sans boiter, vous n'aurez pas à craindre d'être gazés. Tous ceux qui sont ici, y compris les nouveaux, n'ont rien à craindre, sauf vous peut-être. » Il me désigna du doigt. « J'espère que cela ne vous froisse pas, mais je vous dis cela en toute honnêteté. » Il s'adressa de nouveau aux autres : « Il est le seul parmi vous qui pourrait redouter la prochaine séance de sélection. Vous autres n'avez rien à craindre ! » C'est en entendant ces mots que j'ai souri. Mais je suis persuadé que, ce jour-là, n'importe qui à ma place aurait fait de même.

Je crois que c'est Lessing qui a dit: «Si certaines choses ne font pas perdre la raison à un individu, c'est qu'il n'en a guère à perdre.» Il est normal de réagir anormalement à une situation anormale. Nous, les psychiatres, nous attendons à ce que les réactions d'un être humain à une situation anormale, comme être interné par exemple, soient anormales en proportion de la normalité de cet être humain. La réaction d'une personne, lorsqu'elle arrive dans un camp de concentration, semble procéder d'un état d'esprit anormal, mais, jugée objectivement, il s'agit d'une réaction normale et typique devant une situation à laquelle elle n'est pas préparée. Les réactions que j'ai décrites se modifièrent dès les premiers jours, au cours desquels les prisonniers passèrent de la première à la seconde phase, celle de l'indifférence et de l'insensibilité aux émotions, grâce auxquelles on parvient à une sorte de mort émotionnelle.

Outre les réactions que j'ai mentionnées, le prisonnier nouvellement arrivé était soumis à la torture ou expérimentait d'autres émotions paralysantes, mais il s'efforçait d'y devenir insensible. Dans un premier temps, sa famille et son foyer lui manquaient terriblement, et cette nostalgie était si forte qu'elle le dévorait. Ensuite venait le dégoût, un véritable dégoût pour la laideur qui l'entourait.

La majorité des détenus portaient des uniformes en lambeaux. Leur apparence physique était telle qu'ils n'auraient rien eu à envier à un épouvantail. Une saleté immonde inondait tout l'espace entre les baraquements et plus on tentait de s'en débarrasser, plus on était en contact avec elle, plus elle semblait devenir envahissante. Une des distractions favorites des capos était d'envoyer les nouveaux arrivés dans des groupes de travail chargés de nettoyer les latrines et d'évacuer les vidanges. Si – et cela arrivait souvent – des excréments, au cours du transport en camion par des chemins cahoteux, éclaboussaient le visage d'un de ces malheureux et qu'il exprimait son dégoût ou tentait de s'essuyer, le capo le frappait violemment. C'est ainsi qu'on étouffait toute réaction normale.

Au début, lorsqu'un prisonnier voyait ses confrères subir un châtiment quelconque, il détournait la tête; il ne pouvait supporter, par exemple, de voir ses camarades faire les cent pas dans la boue, roués de coups, pendant plusieurs heures d'affilée. Mais après quelques jours ou quelques semaines, cet état d'esprit changeait. Tôt le matin, alors qu'il faisait encore noir, les prisonniers se tenaient devant l'entrée du camp avec leur détachement, attendant le signal du départ. On entendait alors des cris; il arrivait souvent qu'un camarade se fasse battre à coups redoublés. Pourquoi? Parce qu'il s'était fait porter malade. On le frappait parce qu'il avait soi-disant voulu se décharger de ses obligations.

Le prisonnier qui était passé à la deuxième phase de ses réactions psychologiques ne détournait plus les yeux. Il était devenu insensible aux émotions, indifférent à tout. Prenons cet autre exemple: un jour, un prisonnier s'était présenté à l'infirmerie, espérant qu'en raison de certaines blessures, ou peut-être d'œdème ou de fièvre, on allait lui accorder deux jours de travaux légers à l'intérieur du camp. Au moment où il se trouvait là, on avait amené un garçon de douze ans qui avait été obligé de rester au garde-à-vous pendant plusieurs heures dans la neige et de travailler nu-pieds parce qu'on n'avait pu lui trouver de chaussures. Ses orteils avaient gelé, et le médecin s'était mis en devoir de lui arracher des morceaux de chair gangrenés avec des pinces. Loin d'être affecté par ce qu'il voyait, loin de ressentir du dégoût, ou de l'horreur ou de la pitié, le prisonnier avait regardé cette scène avec la plus complète indifférence. La souffrance et la mort étaient devenues des choses si courantes pour lui qu'elles ne le touchaient plus.

Pendant un certain laps de temps, j'ai soigné des prisonniers atteints de typhus. Ces derniers souffraient parfois d'accès de fièvre et de délire, et nombre d'entre eux étaient moribonds. L'un d'eux mourut, et je fus témoin ensuite d'une scène qui me laissa complètement indifférent, scène qui se répéta d'ailleurs chaque fois qu'un patient succombait. L'un après l'autre, les prisonniers s'approchèrent du cadavre. L'un d'eux saisit les restes de son maigre repas de patates; un autre fit son profit de ses sabots; un troisième lui prit son manteau, et le quatrième - la chose est à peine concevable - fut tout heureux de lui dérober un peu de ficelle !

Je regardais tout cela avec indifférence. Puis je demandai à l'« infirmier » d'enlever le corps. Il prit le cadavre par les jambes, le laissa tomber par terre entre les deux rangées de planches qui servaient de lits, puis il le traîna sur le plancher de terre battue jusqu'à la porte.

L'escalier était, pour nous qui étions affaiblis par le manque de nourriture, presque impraticable, bien que chaque marche n'eût pas plus de six pouces de haut. Après quelques mois d'internement, nous ne pouvions plus les monter qu'en nous accrochant au chambranle de la porte. L'homme qui traînait le cadavre s'approcha de l'escalier. Il le grimpa avec effort. Puis il y hissa le corps : d'abord les pieds, puis le tronc, et enfin la tête du défunt qui - avec un bruit sinistre - cogna contre chaque marche.

Je me trouvais à l'autre bout de la baraque, à proximité de l'unique fenêtre qui se trouvait presque au ras du sol. Je buvais avidement ma soupe lorsque mes yeux furent attirés vers l'extérieur. Le cadavre qu'on venait d'y transporter me fixait de ses yeux vitreux. Deux heures auparavant, j'avais parlé à cet homme. Et maintenant, je sirotais ma soupe, dans l'indifférence la plus totale !

Si je n'avais pas été surpris par ce manque d'émotion d'un point de vue professionnel, je n'aurais gardé aucun souvenir de l'incident.

L'apathie, l'insensibilité aux émotions et le sentiment que plus rien ne le touchait constituaient les symptômes de la seconde phase des réactions psychologiques du prisonnier. C'était aussi une protection efficace contre les raclées qu'il recevait à longueur de journée. Cette insensibilité était en quelque sorte une coquille dans laquelle il rentrait chaque fois que c'était nécessaire.

Les prisonniers recevaient des coups à la moindre occasion, parfois sans aucun motif valable. Prenons cet exemple : pour obtenir du pain, qu'on rationnait, il fallait faire la queue. Un jour, un garde SS s'était mis en colère parce que le prisonnier qui se trouvait derrière moi ne s'était pas aligné correctement. J'étais enfermé dans mes pensées, lorsque soudain je reçus deux coups violents sur la tête. Je vis alors que le garde s'était mis à distribuer des coups de bâton à tort et à travers. En de tels moments, le supplice moral causé par l'injustice et par l'absurdité de certains sévices surpasse de loin la douleur physique (et cela s'applique autant aux adultes qu'aux enfants).

Chose curieuse, un coup de bâton qui n'atteint pas sa cible peut, dans certaines circonstances, faire plus mal que celui qui l'atteint. Je me trouvais, un matin, près des rails d'un chemin de fer, en pleine tempête de neige. Malgré le mauvais temps, nous travaillions sans répit. Je ne ménageais pas mes efforts pour accomplir ma tâche, qui consistait à réparer une voie ferrée avec du gravier, car c'était le seul moyen de se tenir chaud. À un certain moment, m'étant arrêté pour reprendre haleine, je m'étais appuyé sur ma bêche. À cet instant, le garde s'était retourné et m'avait aperçu. Il s'était mis dans la tête que je flânais. Je ne reçus ni coups ni insultes. Il ne prit même pas la peine de dire quelque chose : il se contenta simplement de regarder l'être hâve et émacié qui se tenait debout devant lui et qui, pour lui, n'avait même pas figure humaine. Puis il ramassa une pierre et la lança dans ma direction, comme lorsqu'on essaie d'attirer l'attention d'une bête, ou que l'on veut rappeler à l'ordre un animal domestique, un animal avec lequel on a si peu de chose en commun que l'on ne prend même pas la peine de le punir.

De même, un coup de poing au visage fait parfois moins mal que l'insulte qu'il implique. Un jour, nous transportions des poutres sur un chemin verglacé. Le travail était périlleux car, lorsqu'un homme glissait, il mettait tous ceux qui portaient la poutre avec lui en danger. Un vieil ami souffrait d'une malformation congénitale de la hanche. Malgré cela, il était content de travailler car, dans la grande majorité des cas, les handicapés étaient envoyés à la chambre à gaz. Sous le poids d'une lourde poutre, il penchait tantôt d'un côté, tantôt de l'autre, comme s'il allait tomber. Comme cette chute menaçait d'entraîner les autres avec lui, et comme à ce moment-là je n'étais pas très occupé, je courus lui prêter secours. Je reçus aussitôt un coup dans le dos, et on me hurla de reprendre ma place. Quelques minutes plus tôt, le garde qui m'avait frappé nous avait reproché, avec le plus grand mépris, le manque de solidarité que nous, « les porcs », manifestions les uns vis-à-vis des autres.

Un jour où il faisait -16 °C, nous étions occupés, dans une forêt, à creuser la terre gelée afin de poser une canalisation d'eau. À cette époque, j'étais considérablement affaibli. Un contremaître avec de grosses joues rouges s'avança vers moi. Il avait vraiment l'air d'un cochon. J'avais remarqué qu'il portait de très beaux gants fourrés pour se protéger du froid. Il me regarda pendant un certain temps sans parler. Je sentais que les choses allaient prendre une tournure violente, car devant moi se dressait le petit monticule de terre qui montrait que, selon lui, je n'avais pas creusé suffisamment.

« J'avais l'œil sur toi, ordure ! dit-il. Je vais t'apprendre à travailler ! Tu as déjà creusé la terre avec tes dents ? Eh bien, tu vas le faire, et au bout de quelques jours, tu vas mourir comme un chien. On voit bien que tu n'as jamais rien fait de toute ta vie. Quel métier faisais-tu ? Homme d'affaires sans doute ? »

J'avais cessé d'avoir peur. Pourtant il n'y avait aucune raison de ne pas prendre ses menaces de mort au sérieux. Alors je me redressai et le regardai droit dans les yeux.

« J'étais médecin spécialisé, répondis-je.

– Un médecin ? Je parie que tu as soutiré un tas de fric à tes patients.

– Il se trouve que, la plupart du temps, je travaillais bénévolement dans une clinique pour indigents. »

Mais j'avais trop parlé. Il se jeta sur moi et me renversa d'un coup de poing en criant comme un dément.

J'ai voulu montrer, en relatant cet incident apparemment trivial, qu'il y a des moments où l'indignation peut susciter, même chez un prisonnier endurci, une indignation provoquée non pas par la cruauté ou la douleur, mais par l'insulte qui s'y rattache. Ce jour-là, je ne pus supporter l'idée qu'un homme se permettait de porter un jugement sur ma vie alors qu'il ne savait rien d'elle, un homme (j'avoue que la remarque qui suit, et que j'ai faite à un camarade après l'incident, me procura un soulagement un peu puéril) « d'une telle vulgarité et d'une telle brutalité qu'on aurait carrément refusé de l'admettre dans la salle d'attente de l'hôpital auquel j'étais rattaché ».

Il y avait heureusement dans mon groupe de travail un capo qui m'était redevable. Comme je n'avais jamais dédaigné d'écouter ses histoires de cœur, durant nos longues marches jusqu'au lieu de notre travail, il s'était pris d'amitié pour moi. Le diagnostic que j'avais établi sur son caractère et les conseils thérapeutiques que je lui avais donnés avaient fait grande impression sur lui. Je bénéficiais donc d'un avantage important. Il prit l'habitude de me réserver une place à côté de lui dans une des cinq premières rangées de notre détachement, qui comptait environ deux cent quatre-vingts hommes. Je ne saurais trop exagérer l'importance de cette faveur. Le premier appel, qui avait lieu très tôt le matin, exigeait qu'on se mette en ligne. Nous avions tous peur d'être en retard et d'être ainsi relégués aux derniers rangs. Lorsqu'on avait besoin d'hommes pour faire un travail dur et dangereux, le capo en chef apparaissait et, en général, recrutait les prisonniers dans les dernières rangées. Sous les ordres de gardes inconnus et redoutés, les prisonniers étaient alors emmenés sur les lieux de ce travail. Mais il arrivait aussi que le capo en chef choisisse des hommes dans les cinq premières rangées, juste pour déjouer les plus rusés. Il étouffait toute protestation et supplication par quelques coups de pied bien placés et les victimes étaient dirigées à coups de bâton jusqu'au lieu de rassemblement.

Tant que mon capo sentait le besoin de s'épancher, je n'avais rien à craindre. J'avais une place d'honneur garantie à ses côtés. Je bénéficiais aussi d'un autre avantage. Comme presque tous les prisonniers, je souffrais d'œdème. Je ne pouvais ni plier les genoux ni attacher mes souliers tant mes jambes et mes pieds étaient enflés. Si j'avais eu des chaussettes, je n'aurais pu les enfiler. Par conséquent, comme mes pieds étaient toujours mouillés et mes souliers remplis de neige, j'avais des engelures aux orteils, et chaque pas m'infligeait un supplice. Lorsque nous marchions à travers des champs couverts de neige, des glaçons se formaient sur nos chaussures. Les hommes dérapaient et trébuchaient continuellement et ceux qui les suivaient tombaient sur eux. La colonne devait s'arrêter en chemin, bien que ce ne fût jamais pour longtemps ; si un homme tardait à se relever, le garde le frappait à coups de crosse. C'est pourquoi il était bon d'être le plus près possible de la tête de la file, car on n'avait pas à s'arrêter ni à courir pour rattraper ceux qui avaient pris de l'avance. Je m'estimais très chanceux d'être le médecin personnel de Sa Majesté le capo et, en conséquence, un des chefs de file, ce qui me permettait de marcher sans obstacles.

Eu égard à l'aide que je lui apportais, je pouvais aussi être sûr que ma gamelle serait pleine. Je savais que le capo me servirait des portions plus généreuses et qu'il irait au fond de la marmite avec la louche pour en ramener quelques pois supplémentaires. Cet ancien officier avait même eu le courage d'aborder le contremaître, avec qui je m'étais disputé, pour lui déclarer que j'étais un bon travailleur. Même si cela n'arrangea pas grand-chose, il parvint néanmoins à me sauver la vie une fois de plus. Le jour suivant, il m'introduisit clandestinement dans un autre groupe de travail.

* * *

Certains contremaîtres nous plaignaient et essayaient d'améliorer nos conditions de travail, tout au moins sur les chantiers. Ils ne manquaient cependant pas de nous rappeler qu'un ouvrier moyen abattait dix fois plus de travail que nous dans le même laps de temps. Ce qu'ils ne comprenaient pas, c'était qu'il aurait été impossible à un ouvrier moyen de vivre avec trois cents grammes de pain (en fait, nous ne recevions pas toujours cette quantité) et un litre de soupe par jour ; qu'un ouvrier moyen n'est pas constamment sous tension, contrairement à nous, qui n'avions pas de nouvelles de nos familles, ne sachant pas si elles avaient été gazées ou envoyées dans un autre camp ; et qu'enfin un ouvrier normal n'était pas constamment menacé de mort. Un jour, j'osai dire à un contremaître : « Si je pouvais vous apprendre comment opérer quelqu'un au cerveau en aussi peu de temps qu'il vous en a fallu pour m'apprendre ce métier, j'aurais pour vous le plus grand respect. » Il avait souri malgré lui.

L'indifférence, le principal symptôme de la seconde phase, faisait partie du mécanisme d'autodéfense de chaque prisonnier. La réalité s'estompait alors, et il pouvait concentrer tous ses efforts sur une seule chose : sauver sa peau et aider ses compagnons à sauver la leur. Lorsque les prisonniers rentraient au camp le soir, on les entendait souvent pousser des soupirs de soulagement et s'exclamer : « Une autre journée de gagnée ! »

Un tel état de tension, en sus des innombrables expédients auxquels il devait recourir pour se maintenir en vie, réduisait la vie intérieure du prisonnier à un état quasi primaire. Ceux parmi les détenus qui avaient étudié la psychanalyse parlaient d'un phénomène de « régression » chez le prisonnier - un retour à un stade antérieur de développement mental. Les désirs de ce dernier se manifestaient alors très clairement dans ses rêves.

De quoi le prisonnier rêvait-il le plus souvent ? De pain, de gâteaux, de cigarettes et de bains chauds. Comme il ne pouvait satisfaire ses désirs dans la réalité, il essayait de les satisfaire en dormant. Il est difficile d'évaluer ce qu'il retirait exactement de ses rêves. Une seule chose est certaine : la réalité brutale du camp l'arrachait invariablement à ce soulagement momentané.

Je n'oublierai jamais cette nuit où je fus réveillé par les gémissements d'un prisonnier qui, en proie à un cauchemar, était agité de soubresauts. J'avais toujours eu de la compassion pour les gens qui faisaient des rêves pénibles ou qui avaient des accès de délire ; je voulus donc le réveiller. Mais, au moment de le secouer, je retirai vivement ma main, effrayé par ce que j'étais sur le point de faire. Je venais de prendre conscience du fait qu'aucun rêve, si horrible fût-il, ne pouvait surpasser en horreur la réalité du camp. Je n'avais pas le droit de le ramener à cette réalité.

En raison de la sous-alimentation, la préoccupation majeure du prisonnier, préoccupation autour de laquelle était centrée toute sa vie mentale, était de trouver de quoi survivre. Lorsque les gardes relâchaient momentanément leur surveillance, les détenus entamaient presque aussitôt des discussions portant sur la nourriture. L'un d'eux demandait à son compagnon de travail quel était son mets préféré, ou bien des amis échangeaient des recettes et élaboraient le menu réservé au jour où, dans un avenir lointain, ils seraient libérés et se réuniraient pour fêter l'événement. C'est ainsi que se poursuivait la conversation, les prisonniers entrant dans les plus petits détails, jusqu'au moment où on les avertissait, par un mot de passe ou par un geste, de l'arrivée d'un garde.

Je considérais ces discussions à propos de nourriture comme dangereuses. J'étais persuadé qu'il était imprudent de provoquer un organisme habitué à de maigres rations pauvres en calories par des descriptions aussi avides et détaillées. Bien que celles-ci pussent procurer un soulagement psychologique temporaire, elles n'en comportaient pas moins un danger physiologique.

Vers la fin de notre internement, notre ration quotidienne se composait de soupe aqueuse et d'un petit morceau de pain. Outre cela, nous recevions une « ration quotidienne », composée soit de vingt grammes de margarine, d'une tranche de saucisse de qualité inférieure, d'une petite portion de fromage, d'un peu de miel artificiel ou d'une cuillerée de confiture liquide. Ce qui constituait, cela va sans dire, une alimentation absolument inadéquate, surtout pour des hommes qui faisaient de gros travaux et qui n'étaient pas suffisamment protégés contre le froid. Les malades qui recevaient des « soins particuliers » - c'est-à-dire ceux à qui l'on permettait de mourir dans des baraques au lieu d'aller travailler - étaient encore plus mal lotis.

Lorsque nos dernières couches de graisse eurent disparu et que nous commençâmes à ressembler à des squelettes déguisés avec de la peau et des haillons, nos corps commencèrent à se dévorer par l'intérieur. L'organisme digérait ses propres protéines et les muscles fondaient. Le corps perdait alors toutes ses capacités de résistance. Les prisonniers mouraient les uns après les autres. Au bout de quelque temps, on pouvait prédire, avec passablement de justesse, qui allait être la prochaine victime ; nous connaissions tous les symptômes permettant d'établir un diagnostic précis. « Il n'en a plus pour longtemps », ou « C'est lui le prochain », entendait-on, et le soir, lorsqu'on s'épouillait et qu'on voyait nos corps misérables, on se disait : « Un cadavre, voilà ce que je suis devenu. Je ne suis plus qu'un petit tas de chair dans une masse de chair emprisonnée derrière des fils barbelés, une masse de chair jetée dans une baraque, une masse de chair qui, chaque jour, pourrit un peu plus parce qu'elle est faite de cadavres. »

On sait que le prisonnier ne pouvait s'empêcher de rêver à de la nourriture ou à ses mets préférés. Ces pensées étaient présentes aussitôt qu'un prisonnier avait le loisir de s'y consacrer. Même les plus forts d'entre nous attendaient impatiemment le jour où ils prendraient un bon repas, pas seulement pour bien manger, mais parce qu'ils auraient alors la certitude d'avoir échappé aux camps.

Pour ceux qui n'ont jamais subi de telles épreuves, il est presque impossible d'imaginer les conflits mentaux déstructurants et les chocs annihilateurs de volonté vécus par un homme affamé. Quelqu'un qui n'a jamais eu faim ne sait pas ce que c'est que d'être obligé de creuser un fossé en attendant le bruit de la sirène annonçant l'heure de la distribution de pain de 9 h 30 ou de 10 h (quand il y en avait), puis la demi-heure d'arrêt du déjeuner de midi, ne cessant de demander l'heure au contremaître - quand il n'était pas trop désagréable - ou bien caressant, de ses doigts gelés, un petit morceau de pain dans une poche, en arrachant de temps à autre une miette, pour enfin le remettre à sa place, car on s'est promis de ne le manger que l'après-midi.

Les prisonniers discutaient souvent des différentes façons de disposer d'une ration de pain, qu'on ne distribuait, à la fin de notre internement, qu'une fois par jour. Il y avait deux écoles de pensée. La première préférait manger sa ration tout de suite, ce qui offrait le double avantage de faire disparaître, du moins temporairement, les tiraillements d'estomac et de se protéger contre le vol ou la perte, tandis que l'autre aimait mieux diviser la ration en plusieurs morceaux. C'est à celle-ci que je me joignis.

Le pire moment de la journée était le réveil, lorsque trois coups de sifflet déchiraient l'air et nous arrachaient sans pitié à notre sommeil et à nos rêves. Nous luttions alors contre nos chaussures, car elles étaient souvent mouillées et nous avions les pieds gonflés et endoloris. Les prisonniers se plaignaient pour des riens, par exemple lorsqu'ils brisaient un lacet. Un matin, j'entendis quelqu'un, que je savais brave et digne, pleurer comme un enfant à l'idée qu'il allait devoir marcher nu-pieds dans la neige (ses chaussures avaient tellement rétréci qu'il ne pouvait les enfiler). Pendant ce temps, je me consolais avec un petit morceau de pain que j'avais retiré de ma poche et que je mangeais avec délices.

Le manque d'appétit sexuel des prisonniers était probablement dû au fait que leurs préoccupations étaient essentiellement tournées vers la nourriture. Sans négliger les premiers effets de choc, ceci semble être la seule explication d'un phénomène que n'importe quel psychologue aurait pu observer dans les camps pour hommes : que, contrairement à tout autre établissement pour hommes – telles les casernes militaires –, il n'y avait dans les camps que très peu de perversions sexuelles. Bien que ses émotions refoulées et ses sentiments plus élevés se manifestassent dans ses rêves, le prisonnier ne semblait pas préoccupé le moins du monde par la sexualité.

Les conditions de vie primitives du camp, ainsi que les efforts exigés pour survivre, amenaient le prisonnier à négliger tout ce qui ne servait pas cette fin et le rendaient parfaitement insensible à autrui. Je compris cela lorsque je fus transféré d'Auschwitz à un camp satellite de Dachau. Le train – qui transportait deux mille passagers – traversa Vienne. Vers minuit, nous passâmes dans une des gares de la capitale et, un peu plus loin, je vis la rue où j'étais né et la maison où j'avais vécu pendant plusieurs années. Celle où j'avais été fait prisonnier.

Le wagon contenait une cinquantaine de prisonniers.

À l'intérieur, il y avait deux ouvertures grillagées. Il n'y avait de place sur le plancher que pour un certain nombre de prisonniers accroupis sur le sol, tandis que les autres, qui devaient rester debout, se pressaient autour des fenêtres. En me haussant sur la pointe des pieds pour regarder au-dessus des têtes des autres prisonniers, j'entrevis un bref instant ma ville natale. Je frissonnai. Nous avions tous la certitude d'être des morts en sursis, car nous pensions que le convoi se dirigeait vers Mauthausen et qu'il ne nous restait qu'une ou deux semaines à vivre. J'eus la nette impression de voir les rues, les places et les maisons de mon enfance du point de vue d'un homme mort revenu d'un autre monde et posant les yeux sur une ville fantôme.

Après un long arrêt, le train quitta la gare. Et je vis la rue - ma rue ! De jeunes garçons, des prisonniers aguerris pour qui un tel voyage constituait un grand événement, regardaient attentivement par la fenêtre. Je les suppliai de me faire de la place afin que je puisse regarder moi aussi. J'essayai de leur expliquer à quel point regarder par cette fenêtre était important pour moi. Ils me répondirent sur un ton brusque et empreint de cynisme : « Vous avez vraiment habité là pendant toutes ces années ? Alors maintenant vous pouvez vous en passer ! »

Aussitôt arrivés au camp, les prisonniers entraient dans une sorte d'« hibernation culturelle ». Seules la politique et la religion continuaient à faire partie de leurs préoccupations. Ils en parlaient constamment, avec un intérêt plus vif pour la politique. Leurs discussions étaient basées sur des rumeurs, lesquelles se répandaient très vite. Celles qui concernaient la situation militaire étaient généralement contradictoires. Elles se succédaient rapidement et ne faisaient qu'exciter la guerre des nerfs qui ravageait les prisonniers, guerre des nerfs entretenue par les rumeurs optimistes qu'attisait leur espoir d'un armistice. Malheureusement, cet espoir était toujours déçu. Certains d'entre eux finissaient par perdre toute foi en l'existence et sombraient dans une amertume qui rendait leur compagnie difficilement supportable, mais les pires de tous étaient les optimistes entêtés.

Les manifestations religieuses, au camp, étaient tout à fait authentiques. Les nouveaux venus étaient souvent frappés par l'intensité de la foi des prisonniers. Ils s'étonnaient d'entendre réciter des prières ou de voir célébrer des offices dans le coin d'une baraque, ou dans l'obscurité d'un camion à bestiaux qui ramenait les hommes en haillons au camp, des hommes gelés, affamés et épuisés après une longue journée de travail.

Au cours de l'hiver de 1945, une épidémie de typhus frappa la majorité des prisonniers. Les plus faibles d'entre eux, qui n'avaient d'autre choix que de travailler aussi longtemps qu'ils le pouvaient, succombèrent en grand nombre. Les locaux destinés à recevoir et à soigner les malades

étaient tout à fait inadéquats; le personnel soignant était insuffisant et les médicaments étaient pour ainsi dire inexistants. Certains symptômes de la maladie étaient inquiétants ou impressionnants: une profonde aversion pour tout aliment, quel qu'il soit (ce qui constituait un danger additionnel pour la vie), et des accès de délire. Un jour, un de mes amis eut une crise terrible, la pire qu'il m'avait été donné de voir jusqu'alors. Il croyait qu'il allait mourir et il voulait prier. Mais, dans son délire, il lui était impossible de trouver les mots. Afin d'éviter de sombrer moi-même dans ces attaques de délire, j'essayais, comme beaucoup d'autres prisonniers, de veiller toute la nuit, ou presque. Ma méthode? Je composais des discours, ou bien je reconstituais le manuscrit que j'avais perdu dans la salle de désinfection d'Auschwitz, griffonnant, en sténo, les mots clés sur de petits bouts de papier.

Nous assistions parfois à des débats scientifiques entre détenus. Un jour, je fus convié à une séance de spiritisme. Je n'avais jamais assisté à cela dans ma vie normale, bien que cela eût pu m'intéresser d'un point de vue professionnel. J'avais été invité par le médecin en chef du camp (prisonnier lui aussi), qui me savait spécialiste en psychiatrie. La séance eut lieu à l'infirmerie, dans sa petite chambre privée. Un petit groupe s'était réuni, et j'y trouvai, entre autres, l'adjudant des services sanitaires, qui participait illégalement à la réunion.

Quelqu'un se mit à évoquer les esprits. Un des participants, le commis du camp, était assis devant une feuille de papier, sans aucune intention arrêtée d'y écrire quoi que ce soit. Pendant les quinze minutes qui suivirent (après quoi la séance prit fin car le médium se montra incapable de faire apparaître les esprits), il traça lentement quelques lignes sur la feuille blanche, et on put lire les lettres suivantes :

« VAE V ». Le commis soutint qu'il n'avait aucune notion de latin et qu'il n'avait jamais entendu la citation : *Vae Victis* – malheur aux vaincus. J'en conclus qu'il avait dû l'entendre au moins une fois dans sa vie, et qu'elle s'était inscrite dans son subconscient, qui venait de la mettre au jour. Cela se passait quelques mois avant notre libération et la fin de la guerre.

Malgré le caractère primitif incontournable de la vie concentrationnaire, le prisonnier pouvait y mener une vie spirituelle très riche. Les êtres sensibles, dont la vie était auparavant entièrement consacrée à des activités intellectuelles, souffraient certes beaucoup (ils étaient souvent d'une constitution plus délicate), mais leur vie intérieure en sortait pratiquement indemne. Grâce à elle, ils pouvaient échapper à l'enfer du camp et retrouver leur liberté spirituelle. Cela explique pourquoi les prisonniers d'une complexion moins vigoureuse étaient mieux équipés pour survivre aux conditions de vie du camp que les natures robustes. Pour me faire comprendre plus clairement, je ferai appel à certaines expériences personnelles et à ce qui m'est arrivé un matin, alors que je marchais vers notre lieu de travail avec mes camarades.

Les ordres retentissaient : « Détachement, en avant marche ! Gauche-2-3-4 ! Gauche-2-3-4 ! Gauche-2-3-4 ! Le premier homme, demi-tour, et gauche et gauche et gauche ! Enlevez vos casquettes ! » (J'entends ces ordres comme si c'était hier !) L'ordre « Enlevez vos casquettes » retentissait au moment où nous sortions du camp. Les projecteurs étaient braqués sur nous. Quiconque ne marchait pas assez vite recevait des coups. Et malheur à celui qui, à cause du froid, avait remis sa casquette et l'avait rabattue sur ses oreilles avant que la permission ne lui en soit donnée.

Nous marchions dans le noir, sur l'unique route qui partait du camp, pataugeant dans des flaques d'eau et trébuchant sur de grosses pierres. Les gardes, qui ne cessaient de crier, nous faisaient avancer à coups de crosse. Les prisonniers qui avaient les pieds endoloris s'appuyaient sur le bras d'un voisin. On n'entendait pas un seul mot; le vent glacial n'encourageait pas la conversation. La bouche cachée derrière son col relevé, l'homme qui marchait à mes côtés me chuchota: « Si nos femmes nous voyaient! Espérons qu'elles sont mieux loties que nous et ne savent pas ce qui nous arrive. »

Je me mis à penser à ma femme. Tandis que nous marchions, dérapant sur la glace, nous aidant mutuellement à nous relever, appuyés l'un sur l'autre, nous ne disions rien, mais nous savions que nous pensions à nos femmes. Je contemplais le ciel où les étoiles se couchaient et où on voyait déjà briller, derrière un banc de nuages noirs, la lumière du jour. Mon esprit était tout entier habité par le souvenir de ma femme. Je l'imaginais avec une précision incroyable. Je la voyais. Elle me répondait, me souriait, me regardait tendrement; son regard était lumineux, aussi lumineux que le soleil qui se levait.

J'avais enfin découvert la vérité, la vérité telle qu'elle est proclamée dans les chants des poètes et dans les sages paroles des philosophes: l'amour est le plus grand bien auquel l'être humain peut aspirer. Je comprenais enfin le sens de ce grand secret de la poésie et de la pensée humaine: l'être humain trouve son salut à travers et dans l'amour. Je me rendais compte qu'un homme à qui il ne reste rien peut trouver le bonheur, même pour de brefs instants, dans la contemplation de sa bien-aimée. Lorsqu'un homme est extrêmement affligé, lorsqu'il ne peut plus agir de manière positive, lorsque son seul mérite consiste peut-être à endurer ses souffrances avec dignité, il peut éprouver des sentiments de plénitude en contemplant l'image de sa bien-aimée. Pour la première fois de ma vie, je comprenais le sens de cette parole: « Les anges sont perdus dans l'éternelle contemplation d'une gloire infinie. »

Devant moi, un prisonnier avait trébuché, et ceux qui le suivaient tombaient sur lui. Les gardes s'étaient jetés sur eux et leur donnaient des coups de fouet. Je fus ainsi distrait pendant quelques instants de mes pensées. Mais mon âme s'éloigna à nouveau de mon existence de prisonnier et je repris bientôt ma conversation avec ma bien-aimée. Je lui posai des questions et elle me répondit; elle me questionna à son tour et je lui répondis.

« Halte ! » Nous étions arrivés sur notre lieu de travail. Les prisonniers entrèrent précipitamment dans la cabane où on distribuait les outils afin de s'assurer d'en recevoir un qui soit convenable. On leur remit à chacun une pelle ou une pioche.

« Dépêchez-vous, bande d'ordures ! » Arrivés au fossé, nous nous mîmes au travail. Sous les coups de pioche, la terre gelée craquait et les étincelles jaillissaient. Les hommes étaient silencieux, comme enveloppés dans une sorte de torpeur.

J'étais toujours accroché à l'image de ma femme. Une idée me vint à l'esprit : était-elle toujours en vie ? Je ne savais qu'une chose : l'amour va bien au-delà de l'être physique. Il atteint son sens le plus fort dans l'être spirituel. Que la personne soit présente ou non semble avoir peu d'importance.

Je ne savais pas si ma femme était toujours en vie, et je n'avais aucun moyen de le savoir (nous ne pouvions ni envoyer ni recevoir de courrier) ; mais cela n'avait aucune importance. Je n'avais pas besoin de le savoir. Rien ne pouvait me détourner de mon amour, de mes pensées et de l'image de ma bien-aimée. Si l'on m'avait appris, à ce moment-là, qu'elle était morte, je ne crois pas que j'aurais cessé pour autant de contempler son image, ou que ma conversation avec elle aurait été moins vivante. « Pose-moi comme un sceau sur ton cœur, car l'amour est plus fort que la mort. »

Grâce à sa vie intérieure, le prisonnier pouvait se protéger du vide, de la désolation et de la pauvreté spirituelle de son existence. Il appelait le passé à la rescousse. En donnant libre cours à son imagination, il se rappelait certains événements, souvent sans importance, de sa vie d'avant. Les regrets qu'il éprouvait alors glorifiaient en quelque sorte ces souvenirs, et il arrivait même qu'ils revêtent un caractère un peu étrange. Ces événements faisaient partie d'un monde qui semblait révolu et le prisonnier s'y accrochait avec nostalgie. Parfois, je m'imaginais assis dans un autobus, ou bien ouvrant la porte de mon appartement, ou répondant au téléphone, ou allumant les lumières. Nos pensées tournaient souvent autour de tels détails, de tels souvenirs, qui nous faisaient parfois venir les larmes aux yeux.

Lorsque le détenu s'abandonnait à sa vie intérieure, il éprouvait, entre autres, un sentiment de gratitude vis-à-vis de la beauté de la nature. C'est grâce à cela qu'il oubliait parfois sa misère. Si, lors de notre voyage d'Auschwitz à un camp bavarois, quelqu'un avait pu voir l'expression de nos visages à travers les barreaux de la fenêtre du wagon lorsque nous contemplions les montagnes de Salzbourg et leurs cimes rayonnant dans le coucher du soleil, il n'aurait jamais cru que les hommes qu'il voyait avaient perdu tout espoir de survivre et de retrouver leur liberté. En dépit, ou peut-être à cause de cela, nous étions transfigurés par la beauté de la nature, dont nous avions été privés si longtemps.

Il arrivait qu'un prisonnier attire l'attention d'un compagnon de travail sur un merveilleux coucher de soleil brillant à travers les grands arbres de la forêt bavaroise (nous pensions alors à la célèbre aquarelle de Dürer), dans cette même forêt où nous avions construit, dans un lieu quasi désert, une énorme usine de munitions. Un soir, tandis que nous étions couchés sur nos grabats, morts de fatigue, un de nos compagnons entra précipitamment et nous exhorta à nous rendre au lieu de rassemblement pour voir le coucher de soleil. Nous le suivîmes. Dans la cour, nous découvrîmes le ciel qui, à l'ouest, était couvert de nuages de formes diverses et aux couleurs chatoyantes, du bleu métallique au rouge sang. Quel contraste avec les baraques grises et maussades, tandis qu'ici et là des flaques d'eau éparpillées sur le sol boueux reflétaient le ciel embrasé ! Au bout de quelques minutes, émouvantes de silence, un prisonnier dit à celui qui se trouvait à côté de lui : « Comme le monde pourrait être merveilleux ! »

Nous travaillions un jour dans une tranchée. Tout était gris autour de nous : le ciel, la neige sur laquelle luisait la lumière pâle de l'aube, les haillons dont les prisonniers étaient couverts, leurs visages. Je conversais peut-être en moi-même avec ma femme, ou alors je m'interrogeais sur le sens de ma souffrance ou sur le pourquoi de cette mort lente. Tandis que mon être protestait de toutes ses forces contre l'imminence d'une mort injustifiée, je sentis que mon âme transperçait la grisaille et la mélancolie environnantes. Je sentis qu'elle transcendait ce monde sans espoir et dénué de sens, et j'entendis, quelque part au fond de moi-même, un « oui » victorieux en réponse à ma question concernant l'existence d'un but ultime. Au même moment, une lumière s'alluma, dans ce matin gris de Bavière, dans une ferme lointaine qui se dressait à l'horizon comme si elle y eût été peinte. *Et lux in tenebris lucet* – Et la lumière brille dans les ténèbres. Je me remis à piocher la terre gelée. Un garde passa près de moi et m'insulta. Je ne l'entendis pas. J'avais repris mon dialogue interrompu avec ma bien-aimée. Je sentais de plus en plus sa présence ; elle était avec moi. J'avais l'impression que j'allais la toucher, lui prendre la main. Cette sensation était très intense : ELLE était LÀ. Un oiseau vint se percher sur le monticule de terre que j'avais creusé ; ses petits yeux vifs se posèrent sur moi. Il me regarda longuement.

Était-il possible de se livrer à des manifestations artistiques dans un camp de concentration ? Cela dépend de ce qu'on entend par « art ». De temps à autre, les prisonniers improvisaient une sorte de cabaret. On débarrassait une baraque, on y rassemblait quelques bancs et on élaborait un programme. Et le soir, ceux qui occupaient, à l'intérieur du camp, des positions privilégiées – les capos et les prisonniers qui ne travaillaient pas au-dehors – s'y réunissaient. Histoire de rire, ou de pleurer un peu parfois ; bref, d'essayer d'oublier. On chantait des chansons, on récitait des poèmes, on se racontait des blagues ou on tenait des propos satiriques sur le camp. Tout cela pour oublier notre sort pendant quelques instants. Ces cabarets connaissaient un tel succès que certains prisonniers, malgré leur fatigue et le fait qu'ils manquaient le repas du soir pour y assister, venaient y passer leurs soirées.

Lorsqu'on servait la soupe (qui ne coûtait pas grand-chose aux entrepreneurs qui nous la fournissaient tant elle était claire), il nous était permis, pendant la demi-heure consacrée au dîner sur le chantier de travail, de nous rassembler dans la salle des machines. Avant d'y entrer, chaque prisonnier recevait une louche de soupe liquide. Tandis que nous la buvions avidement, l'un des nôtres montait sur un baril et se mettait à chanter des arias italiennes. Ces chansons nous plaisaient énormément, et le chanteur était certain de recevoir une double ration, venant directement « du fond de la marmite » - c'est-à-dire avec beaucoup de pois !

Au camp, on offrait non seulement des récompenses pour les spectacles, mais aussi pour les applaudissements. J'aurais pu, par exemple, me faire accorder la protection (heureusement, je n'en ai pas eu besoin !) du capo le plus redoutable du camp, qu'on surnommait, et avec raison, « le capo meurtrier ». Voici comment les choses se sont passées. Un soir, j'eus à nouveau l'honneur d'être invité dans la pièce où avait eu lieu la séance de spiritisme. Tous les amis du docteur en chef étaient présents, y compris l'adjudant aux services sanitaires qui, une fois de plus, n'aurait pas dû être là. Le capo meurtrier entra dans la pièce par hasard, et on lui demanda de réciter un de ses fameux (je dirais plutôt infâmes) poèmes d'amour. Il ne se fit pas prier, sortit de sa poche une sorte de journal, qu'il ouvrit, et y choisit une poésie de son cru qu'il se mit à déclamer avec emphase ! Je dus me mordre les lèvres pour ne pas éclater de rire, ce qui me sauva fort probablement la vie. Ensuite, je l'applaudis chaleureusement. Ceci me valut de jouir désormais de ses faveurs, et ma vie aurait vraisemblablement été épargnée même si je m'étais vu obligé de me joindre à son groupe de travail, auquel on m'avait jadis assigné pendant une journée complète - ce qui avait été plus qu'éprouvant. De toute façon, je ne pouvais que tirer profit du fait d'être dans les bonnes grâces du capo meurtrier. C'est pourquoi je l'avais applaudi à tout rompre.

Il y avait, pour les prisonniers, quelque chose de grotesque à s'engager dans une activité artistique. Je dirais que le véritable effet que produisait tout ce qui se rattachait à l'art n'était que le résultat du contraste spectral entre la représentation et ce qui se passait à l'arrière-plan. Je me souviendrai toujours de cette nuit à Auschwitz (c'était ma deuxième) où je fus éveillé d'un sommeil profond par de la musique. Le gardien de la baraque donnait, ce soir-là, une petite réception dans sa chambre, qui se trouvait près de l'entrée, réception à laquelle il avait invité plusieurs de ses amis. Un peu ivres, ceux-ci s'étaient mis à chanter quelques rengaines. Soudain, il y eut un silence, et au plus profond de la nuit, un violon éleva sa voix plaintive. Quelqu'un s'était mis à jouer un tango, une musique peu commune et d'une grande originalité. L'instrument frémissait comme un cœur affligé, ce qui exacerba ma tristesse. Il se trouvait que ce jour-là une personne que je connaissais célébrait son vingt-quatrième anniversaire. Cette personne avait été assignée à une autre partie du camp, peut-être à quelque cent mètres de distance seulement et, malgré cela, je n'avais aucun moyen d'entrer en contact avec elle. Cette personne était ma femme.

Si le lecteur s'étonne de ce que l'on pouvait s'adonner à de telles activités dans un camp de concentration, il sera sans doute encore plus étonné d'apprendre qu'on pouvait y trouver des gens qui n'avaient pas complètement perdu le sens de l'humour. Même s'ils ne le manifestaient qu'assez rarement, cet humour était une arme défensive très efficace. On sait que l'humour aide à garder une certaine distance à l'égard des choses et qu'il permet de se montrer supérieur aux événements, ne fût-ce que pour quelques instants. Je m'étais ingénié à développer cette faculté chez un ami avec qui je travaillais sur un chantier de construction. Nous nous étions promis d'inventer au moins une histoire amusante par jour, dont le sujet devait être basé sur ce qui allait nous arriver après notre libération. Mon ami avait jadis été assistant chirurgien dans un grand hôpital. Un jour, j'essayai de le faire rire en lui décrivant ce qui se passerait lorsqu'il reprendrait son ancien travail et qu'il aurait parfois l'impression de se trouver encore au camp. Le contremaître, sur le chantier de construction, nous ordonnait sans cesse de travailler plus rapidement (surtout lorsque le surveillant faisait sa tournée d'inspection) : « Plus vite ! Plus vite ! » criait-il. « Un jour, dis-je à mon ami, tu seras de retour à la salle d'opération, en train d'opérer quelqu'un à l'abdomen lorsque, soudain, un garçon de salle entrera à toute vitesse pour annoncer le chirurgien en chef. Il surgira dans la salle d'opération en criant:

« Plus vite ! Plus vite ! »

Les autres prisonniers étaient parfois très drôles quand ils parlaient de l'avenir. Ils imaginaient, par exemple, que lorsque l'hôtesse leur servirait le potage, lors d'un dîner, ils se croiraient toujours au camp et la prieraient d'aller « bien au fond de la marmite ».

Le sens de l'humour ou cette capacité de voir les choses avec une certaine distance s'acquiert en maîtrisant l'art de vivre. Bien que la souffrance y soit omniprésente, il est possible de pratiquer cet art de vivre dans un camp de concentration. Procédons par analogie et comparons la souffrance d'un homme à un gaz. Si l'on refoule du gaz dans une chambre vide, celui-ci remplira complètement la pièce, peu importe la quantité en cause. Il en est de même pour l'homme: que sa souffrance soit grande ou petite, il ne peut souffrir qu'intégralement. L'« ampleur » de la souffrance est donc une chose absolument relative.

Il s'ensuit que ce sont souvent les petites choses qui font le bonheur. Et ici je ne peux m'empêcher de penser à ce voyage dont j'ai parlé tout à l'heure, celui d'Auschwitz à un camp satellite de Dachau. Nous craignions tous de nous retrouver à Mauthausen, et, à mesure que nous approchions d'un certain pont sur le Danube, nous étions de plus en plus inquiets. Selon les dires de certains prisonniers qui avaient beaucoup voyagé, le train devait traverser ce pont pour se rendre à Mauthausen. Inutile de dire que lorsque les prisonniers s'aperçurent que le convoi ne traversait pas le pont mais se dirigeait vers Dachau, ils se mirent à sauter de joie. Une scène inimaginable.

Nous arrivâmes au camp épuisés, après avoir voyagé pendant deux jours et trois nuits. Il n'y avait pas assez de place dans le convoi pour que tout le monde puisse s'asseoir. La plupart d'entre nous avions été obligés de nous tenir debout tout au long du trajet, tandis que certains prisonniers s'asseyaient à tour de rôle sur les petits tas de paille imprégnés d'urine. À notre arrivée dans ce camp relativement petit (deux mille cinq cents personnes), nous apprîmes une bonne nouvelle : le camp n'avait ni chambres à gaz ni fours crématoires ! Ce qui voulait dire que les « musulmans » ne couraient aucun danger d'être gazés immédiatement à leur arrivée et qu'ils ne le seraient que si l'on organisait un convoi de malades pour Auschwitz. Cette heureuse surprise nous mit tous de bonne humeur. Le rêve du gardien de notre baraque à Auschwitz s'était réalisé : nous nous étions retrouvés dans un camp où il n'y avait pas de « cheminée » comme à Auschwitz. Malgré toutes les difficultés auxquelles nous dûmes faire face dans les heures qui suivirent, nous étions plutôt enclins à rire et à blaguer.

Lorsqu'on nous compta, on s'aperçut que l'un des prisonniers manquait. Il nous fallut attendre, en dépit de la pluie et du froid, jusqu'à ce que le disparu soit retrouvé. On le découvrit dans une baraque où, mort de fatigue, il s'était endormi. Par mesure de représailles, on nous fit faire des exercices militaires. Nous passâmes toute la nuit et une partie de la matinée dehors. Malgré cela, nous étions tous très heureux, même gelés et trempés jusqu'aux os, sans compter la fatigue du voyage. Il n'y avait pas de cheminée dans le camp, et Auschwitz nous paraissait bien loin !

Plus tard, chaque fois qu'un groupe de prisonniers passait devant notre chantier de travail, le caractère relatif de la souffrance nous sautait aux yeux. Nous convoitions leur bien-être ; ils semblaient si heureux. Ils avaient sûrement l'occasion de se laver régulièrement, pensions-nous avec tristesse. Ils avaient sûrement des brosses à dents et leur propre matelas. Ils recevaient sans doute, chaque mois, du courrier qui leur apportait des nouvelles des membres de leur famille ; ils savaient si ceux-ci étaient toujours en vie.

À nous, il ne nous restait plus rien.

Nous enviions aussi ceux qui avaient la chance de travailler dans une usine, dans un endroit abrité ! C'était le rêve de tout un chacun d'avoir une telle chance, grâce à laquelle on était sûr d'échapper à une mort certaine. Parmi les détachements qui travaillaient en dehors du camp (c'était mon cas), il y avait des groupes dont la situation était pire que celle des autres. N'était pas à envier, par exemple, celui qui passait la moitié de la journée à décharger des wagonnets sur une pente boueuse et escarpée. La plupart des accidents, d'ailleurs, arrivaient à ceux qui faisaient ce genre de travail, et ils étaient souvent mortels.

Dans d'autres groupes de travail, les contremaîtres avaient l'habitude de tabasser les prisonniers, et on pouvait s'estimer relativement chanceux de ne pas être sous leur commandement, ou de n'y être que temporairement. Un jour, par un malheureux hasard, je me retrouvai dans l'un de ces groupes. Si, au bout de quelques heures (pendant lesquelles le contremaître ne cessa de me tourmenter), une alerte aérienne n'était pas venue interrompre le travail, obligeant ainsi les prisonniers à se regrouper, je crois bien que je serais rentré au camp sur l'un des traîneaux dont on se servait pour transporter les morts ou ceux qui étaient à bout de fatigue. Il est difficile d'imaginer le soulagement que pouvait ressentir le prisonnier lorsque, dans une telle situation, il entendait le bruit de la sirène. On pouvait comparer ce soulagement à celui du boxeur qui, à la dernière minute, est sauvé du knock-out par la cloche annonçant la fin du combat.

Nous accueillions chaque moment de bien-être avec reconnaissance. Nous étions heureux, par exemple, d'avoir le temps de nous épouiller avant d'aller nous coucher, même si cela était plutôt désagréable, car nous devions nous déshabiller dans une baraque qui n'était pas chauffée et dont le plafond était souvent couvert de glaçons. Et nous étions contents si, pendant cette opération, une alerte aérienne ne venait pas nous déranger, car on éteignait alors les lumières. Ce travail d'épouillage risquait, dans ce cas-là, de nous tenir éveillés une partie de la nuit.

Les petits plaisirs de la vie concentrationnaire nous apportaient une sorte de bonheur négatif - une « absence de souffrance » aurait dit Schopenhauer -, tant ces plaisirs étaient relatifs. Les plaisirs positifs, même les plus humbles, étaient très rares. Un jour, je décidai d'en faire une sorte de bilan. Je me rendis compte qu'en l'espace de plusieurs semaines, je n'avais passé que deux moments agréables. Un jour, après le travail et après une attente prolongée, je fus admis dans la cuisine et placé dans un rang qui défilait devant le prisonnier F. Celui-ci se tenait derrière une immense marmite et remplissait les bols de soupe que lui tendaient les prisonniers. Il était le seul cuisinier qui ne regardait pas les hommes dont il remplissait les bols, le seul cuisinier qui distribuait la soupe sans discrimination. Peu importait celui qui lui faisait face ; il ne favorisait ni ses amis ni ses compatriotes, contrairement à ceux qui donnaient des pommes de terre à leurs amis tandis que les autres ne recevaient que le liquide aqueux du dessus de la marmite.

Mais je me garderai bien de porter un jugement sur ces prisonniers qui protégeaient les leurs au détriment des autres. A-t-on le droit de condamner un homme qui protège ses amis, quand il est question de vie ou de mort ? Avant de juger, un homme devrait se demander si, dans de pareilles circonstances, il n'aurait pas agi de la même façon.

Longtemps après que j'aie repris ma vie normale (c'est-à-dire longtemps après ma libération), quelqu'un me montra une revue dans laquelle il y avait des photos de prisonniers de camps de concentration. Ceux-ci étaient tous entassés sur des couchettes ; leurs regards étaient hébétés.

« C'est terrible, me dit cette personne, ces regards sont terribles – tout cela est terrible ! »

« Mais pourquoi ? » demandai-je, ne comprenant pas sa réaction. À ce moment précis, je me revoyais au camp comme si j'y étais encore : à cinq heures du matin, il faisait noir comme dans un four. J'étais couché sur une planche dans une baraque en terre battue où on « prenait soin » de soixante-dix prisonniers. Nous étions tous malades et exemptés des corvées à l'extérieur du camp ; nous n'avions pas à faire d'exercices militaires. Nous pouvions rester au lit et dormir toute la journée dans notre petit coin de la baraque, pour ne nous réveiller qu'à l'heure de la distribution des rations de pain (qui bien sûr étaient réduites pour les malades) et de la portion de soupe quotidienne (plus liquide que jamais et en quantité très réduite elle aussi). Comme nous étions heureux! Heureux malgré tout. Tandis que nous nous blottissions les uns contre les autres pour nous tenir chaud, trop paresseux pour lever un doigt, nous entendions les coups de sifflet et les cris provenant de l'endroit où se rassemblaient les travailleurs de nuit pour l'appel des noms. Un jour, la porte s'ouvrit toute grande et des tourbillons de neige entrèrent dans la pièce. Un camarade, épuisé et couvert de neige, pénétra dans la baraque. Il voulait se reposer quelques instants. Mais le surveillant le mit dehors. Il était strictement défendu d'admettre un étranger dans la baraque pendant qu'on examinait les malades. Comme je le plaignais et comme j'étais heureux de ne pas être dans sa peau! Comme j'étais soulagé d'être malade et de pouvoir dormir à l'infirmerie! Quelle chance inouïe d'avoir l'occasion d'y passer deux jours, et peut-être même plus!

Je me rappelais ces souvenirs tout en regardant les photos. Puis, j'expliquai à mon interlocuteur pourquoi je ne trouvais pas le regard de ces gens si terrible: ils n'étaient peut-être pas aussi malheureux qu'on pouvait le croire.

Après avoir passé quatre jours à l'infirmerie, on m'assigna à l'équipe de nuit. Sitôt après, le docteur en chef me demanda si j'étais disposé à remplir certaines fonctions médicales dans un baraquement où se trouvaient des prisonniers atteints du typhus. Malgré les conseils pressants de mes amis (et le fait qu'aucun de mes collègues n'offrait ses services), j'acceptai cette tâche. Je savais que, dans un groupe de travail, je ne survivrais pas longtemps. Si je devais mourir, je préférais que ma mort ait un sens. Je me disais qu'il était plus utile de venir en aide à mes camarades que de végéter ou de mourir en accomplissant un travail stérile et dérisoire.

Ce n'était pour moi qu'une simple question de logique; il n'était pas question de sacrifice. J'appris plus tard que l'adjudant aux services sanitaires avait ordonné secrètement, et avant toute chose, de guérir les deux médecins qui s'étaient offerts pour soigner les patients atteints du typhus. Nous avions l'air si faibles qu'il avait peur de se retrouver avec deux cadavres de plus sur les bras, alors qu'il s'attendait à bénéficier de deux médecins supplémentaires.

Ainsi que je l'ai dit au début de cet ouvrage, une seule chose comptait au camp: se maintenir en vie et faire en sorte d'aider ses amis à faire de même. Tout tendait vers ce but ultime. Les prisonniers étaient tellement centrés sur cette tâche qu'ils souffraient parfois de troubles psychologiques risquant de renverser leurs valeurs. Sous l'empire d'un monde qui n'attachait aucun prix à la vie et à la dignité humaines, où l'homme n'avait pas le droit de manifester sa volonté et qui faisait de lui une chose destinée à être exterminée (après avoir été exploitée jusqu'à la dernière extrémité), se desséchait tout sentiment des valeurs quel qu'il soit. Si le prisonnier ne résistait pas, s'il ne luttait pas pour sauver son honneur, il perdait son individualité, il cessait d'être une personne douée d'intelligence et jouissant d'une certaine liberté spirituelle. Tout ce qui lui restait, c'était l'impression d'appartenir à un grand troupeau, de vivre comme une bête, d'être dominé par ses instincts. Les hommes se laissaient conduire ici et là - parfois ensemble, parfois séparément - comme des moutons, comme s'ils étaient incapables de réfléchir ou d'agir par eux-mêmes. Une bande de sadiques dangereux, spécialisés dans différentes méthodes de torture, les surveillaient de tous côtés, les poussaient devant eux, avec des cris et des coups. Et nous, les moutons, ne pensions qu'à deux choses: comment éviter les chiens méchants et obtenir un peu de nourriture. Comme des moutons qui s'assemblent en troupeau, nous nous efforcions de nous placer au centre de nos formations afin d'éviter les coups que nous assenaient les gardes qui marchaient de chaque côté de notre colonne. Cette position centrale avait également l'avantage de nous protéger contre les vents glaciaux. C'était dans le but de sauver sa peau que le prisonnier essayait littéralement de se laisser submerger par la foule. Cela se faisait automatiquement dans les formations. Mais, d'autres fois, c'était par volonté délibérée, en accord avec une sorte de loi omniprésente au camp: ne pas se faire remarquer. Les prisonniers s'efforçaient constamment de ne pas attirer l'attention des SS.

Mais il était parfois souhaitable – quand ce n'était pas nécessaire – de se tenir à l'écart de la foule. C'est un fait que celui qui se voit forcé de vivre en communauté, où l'on porte une attention toute particulière à chacun des gestes accomplis, éprouve parfois un besoin irrésistible de s'évader, ne fût-ce que quelques instants. Les prisonniers désiraient ardemment se retrouver seuls. Ils avaient un grand besoin de solitude. Lorsque je fus conduit à un soi-disant « camp de repos », j'eus le rare bonheur de me retrouver seul pendant des laps de temps de cinq minutes. Derrière la baraque en terre battue où je travaillais, et où étaient entassés une cinquantaine de patients qui déliraient, il y avait un petit endroit tranquille tout près des barbelés qui entouraient le camp. On y avait installé une tente, soutenue par quelques poteaux et des branches d'arbre, afin d'abriter une demi-douzaine de cadavres (le nombre habituel de morts par jour dans le camp). Il y avait là un tuyau qui menait aux conduites d'eau sur le couvercle duquel je m'asseyais lorsque mes services n'étaient pas requis. Je passais mon temps à contempler les pentes vertes et fleuries et les collines bleutées du paysage bavarois qui se dessinaient derrière le réseau de barbelés. Mes pensées étaient empreintes de nostalgie, elles erraient vers le nord et le nord-est, en direction de mon pays natal, mais je ne voyais que des nuages.

Les cadavres qui, près de moi, grouillaient de poux ne me dérangeaient pas. Seul le pas d'un garde pouvait m'arracher à mes rêves ; ou si l'on me demandait d'aller chercher une provision de médicaments pour les patients de la baraque – provision contenant tout au plus cinq ou six comprimés d'aspirine, qui étaient censés suffire pour quelques jours et une cinquantaine de patients. Je passais les prendre et je faisais mes visites, prenant le pouls des patients et distribuant des demi-comprimés aux malades les plus atteints. Les cas désespérés ne recevaient pas de médicaments ; cela n'aurait servi à rien et aurait privé ceux pour qui il y avait encore de l'espoir. Pour les cas désespérés, je n'avais donc rien à offrir, sauf peut-être un mot d'encouragement. Je me traînais ainsi de patient en patient, bien que considérablement affaibli à la suite d'une sérieuse attaque de typhus. Puis, regagnant mon petit refuge solitaire, je me rasseyais sur le couvercle en bois du puits.

Incidemment, ce puits sauva la vie à trois prisonniers. Peu avant la libération, on avait décidé de transférer un certain contingent de prisonniers à Dachau, et ces trois hommes avaient décidé de tenter d'échapper au convoi. Ils s'étaient couchés au fond du puits. Je m'étais assis sur le couvercle avec un air innocent, et je m'amusais à lancer des cailloux sur les barbelés. En me voyant, le garde hésita un moment, puis reprit son chemin. Je pus alors annoncer aux trois hommes blottis au fond du puits qu'ils avaient échappé au danger.

* * *

Il est très difficile pour le non-initié d'imaginer le peu d'importance qu'on attachait, au camp, à la vie humaine. Les prisonniers étaient endurcis, mais peut-être devenaient-ils plus conscients de cette parfaite insensibilité à l'égard de la vie humaine lorsqu'on organisait un convoi de détenus malades. Ces derniers, complètement décharnés par la maladie et la faim, étaient jetés sur des charrettes que des prisonniers tiraient, pendant des kilomètres et des kilomètres, et souvent à travers des tempêtes de neige, jusqu'au camp voisin. Si l'un des malades mourait avant le départ de la charrette, on l'y jetait quand même – il fallait que la liste soit exacte ! La seule chose qui comptait, c'était la liste. Un homme ne comptait que parce qu'il portait un numéro. On n'était plus rien d'autre qu'un numéro ; mort ou vivant, cela n'avait aucune importance : la vie du « numéro » n'intéressait personne. Ce qu'il y avait derrière ce numéro et cette vie encore moins : le destin, l'histoire, le nom de l'homme. Parmi les prisonniers malades que j'accompagnai, en tant que médecin, lors d'un transport à un autre camp en Bavière, se trouvait un jeune homme dont le frère ne figurait pas parmi la liste et, par conséquent, ne pouvait faire partie du convoi. Le jeune homme fit de telles instances au gardien du camp que ce dernier accepta que l'on fît un échange avec un homme qui, à ce moment-là, préférait rester au camp. Il fallait que la liste soit exacte : rien de plus simple, le frère n'avait qu'à échanger son numéro contre celui de l'autre prisonnier !

Comme je l'ai déjà mentionné, nous ne possédions aucun document, et chacun de nous s'estimait chanceux d'être toujours en possession de son corps qui, après tout, respirait toujours. Tout le reste, c'est-à-dire les haillons qui couvraient nos squelettes décharnés, n'intéressait les autres que si on était assigné à un convoi de prisonniers malades. Les « musulmans » destinés à ces convois étaient toujours examinés avec une curiosité ouverte. Les prisonniers regardaient leurs manteaux et leurs chaussures afin de voir s'ils n'étaient pas en meilleur état que les leurs. Leur sort, après tout, était décidé et ceux qui demeuraient au camp parce qu'ils étaient encore en mesure de travailler devaient employer tous les moyens pour améliorer leurs chances de survie. Il n'y avait pas de place pour les sentiments. Ces prisonniers se considéraient comme étant entièrement dépendants de l'humeur des gardes - des jouets du destin - et ils commettaient alors des actes inhumains difficiles à justifier malgré les circonstances.

À Auschwitz, je m'étais prescrit une règle qui s'avéra très utile et qu'adoptèrent la plupart de mes camarades. En général, je répondais honnêtement à toutes les questions qu'on me posait. Mais je n'en disais jamais plus qu'il ne fallait. Si on me demandait mon âge, je le donnais. Si on me demandait quel était mon métier, je répondais « médecin », sans entrer dans les détails. Le jour de mon arrivée à Auschwitz, un officier SS arriva sur le terrain où je me trouvais avec d'autres prisonniers. Il nous sépara en plusieurs groupes : quarante ans et plus, quarante ans et moins, ferronniers, mécaniciens, etc. Puis il forma un groupe avec ceux qui souffraient de hernies. Celui dont je faisais partie fut conduit à une autre baraque, où il fallut de nouveau s'aligner. Après un autre triage et après avoir répondu à des questions concernant mon âge et ma profession, je fus envoyé à un autre petit groupe. On nous conduisit une fois de plus à une autre baraque, où nous formâmes de nouveaux pelotons. Cela se poursuivit pendant un certain temps ; j'étais plutôt contrarié de me retrouver parmi des étrangers qui parlaient des langues que je ne pouvais comprendre. Enfin, il y eut une dernière sélection, et je me retrouvai parmi les prisonniers que j'avais côtoyés dans la première baraque ! Ils avaient à peine remarqué qu'entre-temps j'étais passé d'une baraque à l'autre ! Mais moi je savais qu'en l'espace de ces quelques minutes j'avais plusieurs fois échappé au destin.

Lorsqu'on organisa le convoi de patients malades pour le « camp de repos », mon nom (ou plutôt mon numéro) figurait sur la liste, puisqu'on avait besoin de quelques médecins. Personne n'était cependant convaincu que la destination du convoi était véritablement un camp de repos. Un convoi semblable avait été organisé quelques semaines auparavant et, là aussi, tout le monde était persuadé que le chemin menait aux chambres à gaz. Lorsqu'il fut annoncé que quiconque se proposerait pour l'équipe de nuit (les prisonniers vivaient dans la crainte d'y être assignés) serait exempté du convoi, il y eut aussitôt quatre-vingt-deux volontaires. Un quart d'heure plus tard, le transport fut annulé, mais les quatre-vingt-deux volontaires demeurèrent sur la liste de l'équipe de nuit. En d'autres mots, la plupart d'entre eux n'en avaient plus pour longtemps : une quinzaine de jours tout au plus.

On organisa un second convoi pour le camp de repos. Encore une fois, personne ne savait s'il ne s'agissait pas d'une ruse pour faire travailler les malades - ne fût-ce que quinze jours - jusqu'à ce qu'ils n'en puissent plus, ou si le transport était destiné aux chambres à gaz ou à un véritable camp de repos. Un soir, vers les dix heures, le docteur en chef, qui s'était pris d'affection pour moi, me dit à voix basse : « Je leur ai fait savoir, dans la salle de rapport, que tu allais faire rayer ton nom de la liste ; tu as jusqu'à dix heures pour t'exécuter. »

Je lui répondis que ce n'était pas dans mes intentions ; que j'avais appris à laisser les choses suivre leur cours. « Je préfère rester avec mes amis », dis-je. Il me regarda avec pitié, comme s'il savait… Puis, sans dire un mot, il me serra la main, avec la gravité que l'on accorde à un geste d'adieu. Je retournai lentement à ma baraque. Un ami m'y attendait.

« Tu comptes vraiment partir avec eux ? demanda-t-il d'un air triste.

— Oui. J'y vais. »

Il avait les larmes aux yeux et j'essayai de le consoler. Mais j'avais une autre tâche à accomplir : mon testament.

« Écoute-moi, Otto, si jamais je meurs et que tu revois ma femme, dis-lui que je lui parlais constamment, que j'étais toujours avec elle en pensée. Souviens-toi bien de cela. Ensuite, dis-lui que je l'ai aimée plus que tout au monde. Et enfin que le peu de temps où nous avons vécu ensemble l'emporte sur tout, même sur ce qu'on a dû traverser ici. »

Otto, où es-tu maintenant ? Es-tu toujours en vie ? Que t'est-il arrivé depuis notre dernière conversation ? As-tu retrouvé ta femme ? Tu te souviens lorsque je t'ai obligé à apprendre mon testament par cœur - mot par mot - même si tu pleurais comme un enfant ?

Le lendemain matin, je faisais partie du convoi. Cette fois-ci il ne s'agissait pas d'une ruse. Nous ne nous dirigions pas vers les chambres à gaz, mais vers un camp de repos. Ceux qui m'avaient pris en pitié demeurèrent au camp, où la famine allait faire encore plus de ravages que dans notre nouveau lieu de réclusion. Ils avaient essayé de sauver leur peau, mais en vain. Plus tard, après la libération, je rencontrai un ami resté au camp. Il me raconta qu'en sa qualité de policier, il avait fouillé les baraques à la recherche d'un lambeau de chair qui avait disparu d'un tas de cadavres. Il avait fini par le découvrir dans une marmite dans laquelle il cuisait. Le cannibalisme avait commencé à se manifester. J'étais parti à temps.

Ceci me rappelle l'histoire de *La Mort à Téhéran*. Un Persan, riche et puissant, se promène dans son jardin avec un de ses domestiques. Ce dernier lui apprend qu'il vient de rencontrer la Mort, qui l'a menacé. Il supplie son maître de lui prêter son cheval le plus rapide pour qu'il puisse s'enfuir à Téhéran le soir même.

Le maître y consent et le domestique part aussitôt à bride abattue pour la capitale. En rentrant chez lui, le maître croise la Mort à son tour, et la questionne : « Pourquoi as-tu effrayé et menacé mon domestique ?

— Je ne l'ai pas menacé ; j'ai seulement été surpris de le trouver ici alors que je prévoyais le rencontrer ce soir à Téhéran », répond la Mort.

Les prisonniers avaient peur de prendre des décisions, des initiatives. Car ils avaient le sentiment profond que le destin était leur maître et qu'il ne fallait pas essayer de l'influencer, mais plutôt le laisser décider à leur place. Mais il faut cependant ajouter que c'était leur apathie qui faisait naître ce sentiment chez eux. Certes, ils devaient parfois faire des choix, prendre des décisions où il était question de vie ou de mort, mais ils auraient préféré que le destin choisisse pour eux. Ce refus ou cette incapacité de s'engager n'était jamais plus évident que lorsque les détenus devaient se décider pour ou contre une évasion. Durant ces quelques minutes où il leur fallait choisir – c'était toujours une question de minutes –, ils souffraient toutes les tortures de l'enfer. Devaient-ils tenter de s'évader ? Devaient-ils courir un tel risque ?

Je fus moi-même tourmenté par de telles questions. Alors que le front approchait, j'eus l'occasion de m'évader. Un de mes collègues, un médecin, qui avait pour tâche de visiter des prisonniers malades à l'extérieur du camp, voulait s'enfuir et m'emmener avec lui. Sous prétexte d'une consultation requérant les conseils d'un spécialiste, il me fit sortir clandestinement. À l'extérieur du camp, un membre de la résistance étrangère était censé nous procurer des uniformes et des documents. À la dernière minute, quelques ennuis techniques vinrent déranger nos projets et nous dûmes rentrer au camp. Nous profitâmes de cette occasion pour faire quelques provisions – quelques pommes de terre pourries – et pour essayer de trouver un sac à dos.

Nous entrâmes dans une baraque vide du camp des femmes, qui était abandonnée car elles avaient été envoyées dans un autre camp. Le désordre y régnait ; il était évident que des détenues s'étaient approvisionnées puis s'étaient enfuies. Il y avait des guenilles partout, de la paille, des aliments pourris et de la vaisselle brisée. Quelques bols étaient toujours en bon état et auraient pu nous servir, mais nous décidâmes de ne pas les emporter. Nous savions que, les conditions de vie s'étant rapidement détériorées, ils avaient servi de pots de chambre et de récipients pour la lessive. (Il n'était pas permis d'avoir des ustensiles de ce genre dans les baraques. Certaines personnes se voyaient cependant contraintes d'enfreindre cette loi, plus particulièrement les patients atteints du typhus, qui étaient beaucoup trop faibles pour aller dehors, même accompagnés.) Pendant que je faisais le guet, mon ami entra dans la baraque et revint peu après avec un sac à dos qu'il avait dissimulé derrière son manteau. Il en avait également trouvé un pour moi, qu'il avait laissé à l'intérieur. Alors il prit ma place et j'entrai à mon tour dans la baraque. Tandis que je fouillais parmi les objets qui traînaient, y trouvant le sac à dos et même une brosse à dents, j'aperçus le corps d'une femme.

Je courus à ma baraque pour y rassembler mes effets : mon bol, une paire de mitaines trouées que j'avais « héritées » d'un prisonnier mort du typhus, et quelques bouts de papier couverts de signes sténographiques (j'avais commencé à reconstituer le manuscrit perdu à Auschwitz). Je visitai mes patients une dernière fois. Ils étaient couchés en chien de fusil sur des planches de bois de chaque côté de la baraque. Je m'arrêtai devant un compatriote (le seul qui me restait). Il était presque mourant et j'aurais voulu lui sauver la vie malgré la gravité de sa maladie. Je ne voulais rien lui dévoiler de mes intentions, de mon projet de fuite, mais il devina (peut-être avait-il senti mon inquiétude). D'une voix lasse, il me dit : « Toi aussi, toi aussi tu t'en vas ? » Je lui répondis qu'il n'en était pas question, mais je ne pouvais détourner mon regard du sien. Après avoir fait mes visites, je revins le voir. Il me fixait toujours d'un air désespéré, ses yeux semblaient m'accuser. Le sentiment de culpabilité que j'avais éprouvé au moment où j'avais décidé de fuir avec mon ami s'intensifia. Soudain, je pris mon courage à deux mains. Je sortis en toute hâte de la baraque et dis à celui qui m'attendait qu'il m'était impossible de l'accompagner. Sitôt que je l'avisai de ma décision irrévocable de rester, je fus soulagé. Je ne savais pas ce qu'allaient me réserver les prochains jours ; mais j'avais trouvé une sorte de paix intérieure qui m'avait été inconnue jusqu'alors. Je retournai à la baraque, m'assis sur les planches à côté de mon compatriote et tâchai de le consoler ; puis je me mis à bavarder avec les autres, essayant de les calmer dans leur délire.

Arriva enfin le dernier jour. À mesure que le front s'approchait, on convoyait les prisonniers en masse vers d'autres camps. Les autorités, les capos et les cuisiniers s'étaient enfuis. Ce jour-là, on donna l'ordre d'évacuer le camp en entier avant la tombée du jour. Les quelques prisonniers qui restaient (des malades, quelques médecins et quelques « infirmiers ») devaient débarrasser les lieux afin que l'on puisse, le soir, mettre le feu au camp. L'après-midi, les camions qui étaient censés venir chercher les malades n'étaient pas encore arrivés. Les autorités donnèrent alors l'ordre de verrouiller les portes du camp et de surveiller les barbelés de très près. Selon toute évidence, les prisonniers qui restaient seraient, si les camions n'arrivaient pas, réduits en cendres tout comme le camp. Mon ami et moi décidâmes une fois de plus de nous évader.

Nous avions reçu l'ordre d'enterrer trois cadavres de l'autre côté des barbelés. Nous étions les seuls qui avaient encore suffisamment de force pour accomplir un tel travail. Presque tous les autres, terrassés par la fièvre et des accès de délire, avaient été regroupés dans quelques baraques. Nous dressâmes nos plans : nous comptions d'abord sortir clandestinement le sac à dos de mon ami en même temps que le premier cadavre, afin de le cacher dans le cuvier qui servait de cercueil provisoire. Nous ferions de même avec mon sac lors du transport du second cadavre et, lors du troisième voyage, nous tenterions de nous évader. Les deux premières phases de l'opération se déroulèrent comme prévu. Au retour, mon ami s'éloigna afin d'essayer de trouver un peu de pain pour notre séjour en forêt. Je l'attendis. Il ne revenait pas, et mon anxiété augmentait de minute en minute. Après trois années d'emprisonnement, je m'étais fait une telle joie à l'idée de retrouver ma liberté - je m'étais même imaginé l'exaltation que je ressentirais lorsque j'approcherais du front! Mais il était écrit qu'il en serait tout autrement.

Au moment où j'aperçus mon ami qui revenait vers moi, les portes s'ouvrirent toutes grandes. Un véhicule rutilant, couleur aluminium, sur lequel étaient peintes de grosses croix rouges, vint se ranger près du terrain de manœuvres. Un représentant du comité international de la Croix-Rouge à Genève avait été délégué à notre camp. Afin d'être près des lieux en cas d'urgence, il s'installa dans une ferme proche. La nouvelle tournure prise par les événements nous ôta immédiatement l'envie de nous évader. Le véhicule fut déchargé des boîtes de médicaments qu'il contenait. Des cigarettes furent distribuées; on nous photographia, la joie se mit à régner partout dans le camp. Nous n'avions plus aucune raison de nous évader vers le champ de bataille.

Nous avions oublié, dans notre énervement, le troisième corps. Nous le transportâmes dans la tombe étroite que nous avions creusée pour les trois cadavres. Le garde qui nous accompagnait - un homme relativement inoffensif - devint soudain très aimable. Il savait que les rôles s'étaient inversés et il essayait de gagner notre amitié. Il récita, avec nous, quelques prières pour les trois défunts avant de nous aider à les recouvrir de terre. Après la tension des derniers jours et surtout des dernières heures, après ce dernier sprint dans notre course contre la mort, je crois que nos prières pour demander à Dieu la paix furent parmi les plus ferventes qui aient jamais été prononcées.

La dernière journée se passa ainsi dans l'attente de notre libération. Mais nous nous étions réjouis prématurément. Le délégué de la Croix-Rouge nous avait assurés que, selon l'accord qui avait été signé, le camp ne serait pas évacué. Le soir même, cependant, les SS arrivèrent avec des camions et l'ordre d'évacuer le camp. Les derniers prisonniers allaient être transférés à un camp central et, de là, envoyés en Suisse, où ils seraient échangés contre des prisonniers de guerre. C'est à peine si nous reconnûmes les SS tant ils étaient aimables, nous assurant qu'il n'y avait aucun danger à monter dans les camions, semblant partager notre joie devant notre libération prochaine. Les prisonniers qui en avaient encore la force s'entassèrent dans les camions, tandis que les plus faibles et les malades y étaient transportés. Mon ami et moi – nous ne cachions plus nos sacs à dos – faisions partie du groupe parmi lequel treize hommes seraient désignés pour l'avant-dernier transport. Le médecin en chef compta treize personnes, qui grimpèrent dans le camion. Il nous avait oubliés. Surpris, contrariés et déçus, nous lui en fîmes reproche. Il prétexta la distraction due à la fatigue. Exaspérés, nous nous assîmes auprès des prisonniers restants, nos sacs sur le sol, pour attendre le dernier camion. Celui-ci n'arrivant pas et l'attente nous paraissant interminable, nous nous étendîmes, tout habillés, sur des matelas dans la chambre déserte des gardes. Nous étions épuisés par l'agitation des dernières heures, durant lesquelles nous avions sans cesse flotté entre l'espérance et le désespoir.

Nous fûmes réveillés par des coups de fusil et de canon; des éclats de balles traçantes furent projetés dans la baraque. Le docteur en chef entra précipitamment et nous ordonna de nous coucher sur le plancher. Un des prisonniers sauta du haut de son lit et atterrit sur mon ventre, ce qui me fit reprendre pied dans la réalité plutôt brutalement. Puis nous comprîmes de quoi il s'agissait: le front nous avait rejoints! Les coups de feu diminuèrent progressivement et le jour se leva. Lorsque nous sortîmes de la baraque, nous vîmes un drapeau blanc flottant au sommet d'un mât à l'entrée du camp.

Plusieurs semaines après, nous réalisâmes à quel point, dans ces dernières heures, les quelques prisonniers qui restaient avaient été le jouet du destin. Nous comprîmes que les décisions humaines, dans certaines circonstances, procèdent beaucoup plus du hasard que de la détermination, surtout lorsqu'il est question de vie ou de mort. On me montra des photos qui avaient été prises dans un petit camp situé non loin du nôtre. Les prisonniers qui, ce jour-là, avaient cru qu'on allait leur rendre la liberté y avaient été transportés en camion. Dès leur arrivée, on les avait enfermés dans des baraques, avant d'y mettre le feu. Ils avaient été brûlés vifs. Sur la photo, on voyait nettement les corps à moitié carbonisés. Ma pensée revint à l'histoire de *La Mort à Téhéran.*

L'indifférence des détenus, qui faisait en fait partie de leur système de défense, pouvait également s'expliquer par d'autres facteurs. Y contribuaient, par exemple, la faim et le manque de sommeil (le phénomène peut également être observé dans la vie normale). Mais cette indifférence se transformait parfois en irascibilité. Le manque de sommeil était dû en partie au fait que les baraques surpeuplées grouillaient de vermine. Il faut dire que les règles d'hygiène les plus élémentaires n'y étaient pas observées. L'apathie des prisonniers pouvait également s'expliquer par le fait qu'ils n'absorbaient ni caféine ni nicotine.

Outre ces causes matérielles, des raisons psychologiques, prenant la forme de certains complexes, pouvaient expliquer cette indifférence. La majorité des prisonniers souffraient d'une sorte de complexe d'infériorité. Nous avions tous été, ou cru être des personnages importants. Puis on nous avait traités comme des nullités, comme des « non-êtres ». (Bien sûr, la conscience qu'un être humain a de sa valeur propre s'enracine dans une région plus élevée de son esprit et ne peut être ébranlée par la vie concentrationnaire, mais combien d'hommes libres, sans parler des prisonniers, la possèdent ?) Bien qu'il n'y pensât pas consciemment, le prisonnier ordinaire se sentait complètement avili. Et ceci devenait plus évident encore lorsqu'on observait les contrastes que présentaient les structures sociologiques du camp. En principe, les détenus les plus « importants », les capos, les cuisiniers, les magasiniers et les policiers, ne se sentaient pas diminués comme la majorité des prisonniers. Au contraire, ils avaient une conscience aiguë de leur position dans la hiérarchie du camp. Certains d'entre eux entretenaient même des illusions de grandeur. La réaction de la majorité envieuse et mécontente contre cette minorité favorisée se manifestait de plusieurs manières, et parfois par la plaisanterie. J'entendis, par exemple, un prisonnier ironiser à propos d'un capo : « Imagine-toi ! disait-il à un camarade, je connaissais cet homme à l'époque où il n'était que le directeur d'une grande banque. N'est-il pas chanceux de s'être élevé ainsi dans la société ! »

Lorsque la majorité défavorisée entrait en conflit avec cette minorité privilégiée (et les occasions ne manquaient pas, surtout lorsqu'on distribuait la soupe), les résultats étaient souvent explosifs. Par conséquent, lorsque venaient s'y ajouter d'autres tensions, l'irascibilité des prisonniers (dont les causes matérielles ont été mentionnées plus haut) s'intensifiait. Il n'est pas surprenant que cette tension ait provoqué souvent des bagarres générales. À force d'être témoin de scènes violentes, le prisonnier devenait de plus en plus porté à la violence. Moi-même je sentais mes poings se serrer de rage lorsque j'étais épuisé et que je n'avais plus rien à manger. La plupart du temps j'étais très fatigué, car j'étais chargé, jour et nuit, d'alimenter notre poêle - les baraques où se trouvaient des malades atteints du typhus en possédaient un. C'étaient pourtant mes meilleurs moments, au milieu de la nuit, alors que les malades déliraient dans leur sommeil. Je m'étendais devant le poêle où crépitait un petit feu fait avec du charbon volé et je faisais rôtir quelques pommes de terre chapardées. Mais cela me fatiguait néanmoins et, le jour, je me sentais encore plus insensible ou irascible.

En plus de mes fonctions de médecin dans le bloc réservé aux patients atteints du typhus, je devais également remplacer le gardien en chef qui était malade. J'étais donc responsable de la baraque aux yeux des autorités du camp ; je devais garder celle-ci propre - comme si l'on pouvait employer le mot « propre » pour décrire l'état de ces taudis ! Les prétendues inspections auxquelles on soumettait souvent cet endroit n'avaient pour but que de nous tourmenter et n'avaient strictement rien à voir avec l'hygiène. De la nourriture ou des médicaments auraient mieux fait l'affaire, mais l'unique préoccupation des inspecteurs était de s'assurer qu'on n'avait pas laissé échapper de brins de paille dans le corridor central, ou que les couvertures effilochées et remplies de vermine étaient bien bordées. Quant au sort des prisonniers, ils s'en fichaient. Pour autant que je fasse mon rapport avec promptitude, la casquette à la main, claquant des talons en énonçant clairement: « Baraque VI/9: 52 malades, deux infirmiers, un médecin », ils étaient satisfaits. Puis ils s'en allaient. Mais avant qu'ils n'arrivent - souvent beaucoup plus tard que prévu, quand ils ne s'en abstenaient pas tout simplement -, je me voyais obligé d'ajuster les couvertures, de ramasser les brins de paille qui tombaient des couchettes et de me fâcher contre les pauvres diables qui, en s'agitant dans leur sommeil, risquaient de tout remettre en désordre. L'indifférence des fiévreux était particulièrement grande; ils ne réagissaient que si l'on s'emportait contre eux, bien que cela ne produisît parfois aucun effet. À ce moment-là, il fallait se retenir pour ne pas les frapper. La colère de l'un prenait, devant l'indifférence de l'autre, des proportions exagérées, et elle était encore exacerbée par le danger que présentait cette indifférence à cause de la menace de l'inspection.

En ayant recours à la psychologie pour décrire les comportements et en tentant de donner une explication psychopathologique des traits distinctifs du prisonnier des camps de concentration, j'ai peut-être donné l'impression que l'être humain est entièrement et inéluctablement influencé par son milieu. (Le milieu étant, dans les camps, une structure rigide obligeant les prisonniers à se conformer à un mode de vie bien déterminé.) Mais qu'en était-il de la liberté humaine? Les réactions, la façon d'agir d'un homme sont-elles nécessairement dépourvues de toute liberté spirituelle, quel que soit le milieu dans lequel on vit? Peut-on vraiment affirmer que l'homme n'est rien de plus que le résultat de certains facteurs biologiques, psychologiques ou sociologiques? Qu'il n'est que le produit accidentel de ces facteurs? Le comportement des prisonniers qui se sont trouvés enfermés dans un monde aussi exceptionnel que celui des camps de concentration prouve-t-il, hors de tout doute, que l'homme ne peut échapper à l'influence de son environnement? Dans de telles circonstances, l'homme n'avait-il aucune possibilité de choisir?

On peut répondre à ces questions en s'appuyant autant sur des faits vécus que sur des théories. Les conclusions tirées des expériences vécues dans les camps de concentration prouvent en effet que l'homme peut choisir. On pourrait citer de nombreux comportements, souvent de nature héroïque, qui démontrent que le prisonnier pouvait surmonter son indifférence et contenir sa colère. Même si on le brutalise physiquement et moralement, l'homme peut préserver une partie de sa liberté spirituelle et de son indépendance d'esprit.

Ceux qui ont vécu dans les camps se souviennent de ces prisonniers qui allaient, de baraque en baraque, consoler leurs semblables, leur offrant les derniers morceaux de pain qui leur restaient. Même s'il s'agit de cas rares, ceux-ci nous apportent la preuve qu'on peut tout enlever à un homme excepté une chose, la dernière des libertés humaines : celle de décider de sa conduite, quelles que soient les circonstances dans lesquelles il se trouve.

Et nous avions constamment à choisir. Il nous fallait prendre des décisions sans arrêt, des décisions qui déterminaient si nous allions nous soumettre ou non à des autorités qui menaçaient de supprimer notre individualité et notre liberté spirituelle, qui déterminaient si nous allions devenir ou non le jouet des circonstances et renoncer ou non à notre liberté et à notre dignité pour devenir le prisonnier « idéal ». De ce point de vue, les réactions psychologiques du prisonnier du camp de concentration ne sont pas uniquement l'expression de certains facteurs physiques et sociologiques. Même si des conditions telles que le manque de sommeil, une alimentation inadéquate et plusieurs formes de tension psychologique peuvent laisser entendre qu'il était inévitable qu'il se laissât aller à certains comportements regrettables, il est clair, en dernière analyse, que ce que devenait le prisonnier était le résultat d'une décision intérieure et non celui des circonstances auxquelles il était soumis. Tout homme peut, même dans des circonstances particulièrement pénibles, choisir ce qu'il deviendra - moralement et spirituellement. On peut garder sa dignité dans un camp de concentration. Dostoïevski a dit : « Je ne redoute qu'une chose: ne pas être digne de mes souffrances.» Ces mots me sont sans cesse revenus à l'esprit quand j'ai fait la connaissance de ces martyrs dont le comportement, la souffrance et la dignité devant la mort témoignaient du fait qu'on ne peut enlever à un être humain sa liberté intérieure. On peut dire qu'ils furent dignes de leurs souffrances et qu'ils les endurèrent d'une manière exceptionnelle. C'est cette liberté spirituelle - qu'on ne peut nous enlever - qui donne un sens à la vie.

Une vie active permet à l'homme de réaliser ses valeurs à travers un travail créatif, tandis que celui qui mène une vie passive et qui vit pour son plaisir peut faire l'expérience de la beauté, de l'art, ou de la nature. Mais il est également possible de poursuivre un but même si l'on n'éprouve aucun plaisir à vivre, même lorsqu'il n'y a aucune possibilité de libérer sa créativité et lorsque la vie ne permet qu'une seule possibilité: celle d'agir dans le sens de la morale, en appréhendant l'existence avec des considérations morales qui deviendront prioritaires. Le plaisir et la créativité sont alors interdits. Mais il n'y a pas que le plaisir et la créativité qui donnent un sens à la vie. Et si la vie a un sens, il faut qu'il y ait un sens à la souffrance. La souffrance, comme le destin et la mort, fait partie de la vie. Sans la souffrance et la mort, la vie humaine demeure incomplète.

La façon dont un être humain accepte son sort et toute la souffrance que cela implique, la manière dont il porte sa croix, lui donnent amplement l'occasion - même dans les circonstances les plus difficiles - de donner un sens plus profond à sa vie. Il peut alors agir avec dignité, courage et désintéressement. Mais il peut aussi, dans sa terrible lutte pour survivre, manquer de dignité et se conduire comme une brute. L'homme, dans les camps, avait la chance de profiter ou non de ces occasions d'atteindre aux valeurs morales propres à la situation dans laquelle il était contraint de vivre. Il avait alors le choix d'être digne ou non de ses souffrances.

On pourrait croire que ces considérations sont peu réalistes et trop distanciées de la vie de tous les jours, et il est vrai que très peu de gens sont capables d'épouser de hautes valeurs morales. Seuls quelques prisonniers surent préserver leur liberté spirituelle, seule une poignée d'hommes s'élevèrent jusqu'à ces valeurs que leurs souffrances leur permettaient d'atteindre, mais ces seuls exemples suffisent à démontrer que l'être humain peut transcender un sort contraire. De tels hommes ne se trouvent pas seulement dans les camps de concentration. L'homme est partout confronté au destin, il a partout l'occasion de s'accomplir à travers la souffrance.

Prenons le sort des malades, en particulier les incurables. Je lus un jour une lettre qui avait été écrite par un jeune invalide. Celui-ci y apprenait à un ami qu'il allait bientôt mourir et qu'il n'y avait rien à faire pour le sauver. Il lui disait qu'il se souvenait d'un film dans lequel il y avait un personnage qui attendait la mort avec dignité et courage. Le garçon avait trouvé cela admirable. « À présent, écrivait-il, le destin me donne l'occasion de faire dignement face à la mort. »

Ceux qui ont vu, il y a plusieurs années, le film *Résurrection* – d'après le roman de Tolstoï – ont peut-être eu la même révélation. Il existe de grands hommes, voués à de grandes destinées. Mais pour nous, à l'époque où nous regardions ce film, il n'y avait pas de grandes destinées, ni la possibilité d'être grands. Après la projection, je me suis rendu au bistrot le plus proche avec des amis et, devant une tasse de café et un sandwich, nous avons oublié ces étranges pensées métaphysiques qui nous étaient momentanément venues à l'esprit. Plus tard, lorsque nous fûmes confrontés à une grande destinée et à la décision d'y faire face avec autant de grandeur spirituelle, nous avions oublié nos résolutions de jeunesse, et nous échouâmes.

Peut-être quelques-uns d'entre nous ont-ils revu ce film, ou un film semblable. Peut-être avons-nous eu, entre-temps, d'autres visions, où des gens parvenaient à des sommets intérieurs encore plus grands. Quelques particularités concernant la richesse intérieure de certains êtres auraient pu nous revenir à l'esprit, par exemple celles qui caractérisaient cette jeune femme que j'ai rencontrée, peu avant sa mort, dans un camp de concentration. C'est une histoire toute simple, dans laquelle il y a bien peu à raconter, si peu qu'on pourrait avoir l'impression que l'auteur l'a inventée. Je ne l'ai pas inventée ; et cette histoire, pour moi, est belle comme un poème.

La jeune femme savait qu'il ne lui restait que peu de temps à vivre. Elle était cependant sereine et joyeuse lorsque je m'entretins avec elle. « Je suis reconnaissante à mon destin de m'avoir porté un si grand coup, me déclara-t-elle. Dans ma vie passée, j'étais choyée et attachais trop peu d'importance aux choses spirituelles. » Pointant son index vers la fenêtre de la baraque, elle ajouta : « Cet arbre est le seul ami que j'ai dans ma solitude. » Elle ne voyait, à travers la fenêtre, qu'une seule branche d'un marronnier, à laquelle pendaient des grappes fleuries. « Je parle souvent à cet arbre », ajouta-t-elle. J'étais déconcerté et ne savais comment interpréter ces paroles. Divaguait-elle ? Était-elle victime d'hallucinations ? Je lui demandai aussitôt si l'arbre lui répondait.

« Oui », me dit-elle. Que lui disait-il ? « Il me dit : « Je suis là. Je suis avec toi. Je suis la vie éternelle. »

L'état d'esprit du prisonnier, comme nous le savons déjà, était beaucoup plus le résultat d'un choix personnel que la conséquence de facteurs physiques et psychologiques. Les observations faites sur certaines personnes ont démontré que c'étaient celles qui perdaient pied moralement et spirituellement qui succombaient aux mauvaises influences du camp. Mais en quoi consistait cette chute, cette défaite ? Où l'individu pouvait-il puiser le sens moral nécessaire à sa survie spirituelle ?

Lorsque des prisonniers ayant survécu aux camps racontent leurs expériences, ils s'accordent à dire qu'il n'y avait rien de plus décourageant que de vivre dans l'ignorance de la durée de leur emprisonnement. Personne ne savait quand il serait libéré. (Dans notre camp, c'était chose impensable et il était absolument inutile d'en parler.) En fait, une détention était non seulement indéterminée, elle était aussi illimitée. Un psychologue connu appelait la vie dans les camps de concentration « existence provisoire ». On pourrait ajouter à cela : « existence provisoire d'une durée illimitée ».

En général, les nouveaux venus ne savaient rien des conditions qui les attendaient. Ceux qui arrivaient d'autres camps n'avaient d'autre choix que de se taire. Quant à certains camps de sinistre mémoire, inutile de rappeler que personne n'en revenait. Dès son admission, le champ de vision intérieur du prisonnier changeait: une transformation s'opérait dans son esprit. De la fin de l'incertitude naissait l'incertitude sans fin. Il lui était impossible de prédire quand son existence prendrait fin.

Le mot latin *finis* a deux significations: but et fin. Un homme qui est incapable de prévoir la fin d'une « existence provisoire » est incapable de poursuivre un but. Il cesse de vivre en fonction de l'avenir, contrairement à un homme qui mène une vie normale. C'est la raison pour laquelle, dans les camps, toute la structure de la vie intérieure se modifiait; apparaissaient alors des signes de déchéance, semblables à ceux que l'on peut observer dans le cadre de certaines conditions de la vie normale. Le chômeur, par exemple, se trouve dans une situation similaire. Son existence est devenue provisoire et, dans un certain sens, il est incapable de vivre en fonction de l'avenir ou de se fixer un but. Des recherches effectuées sur des mineurs sans emploi démontrent que ces derniers ont une perception déformée du temps - du temps intérieur -, perception qui résulte du fait qu'ils sont sans travail. Les prisonniers aussi souffraient de cette étrange notion du temps. Dans le camp, un bref intervalle de temps, une journée, par exemple, pleine de tourments et de fatigue, paraissait interminable. Alors qu'il nous semblait qu'un intervalle de temps plus long, disons une semaine, passait très vite. La manière dont nous percevions le temps était si paradoxale que mes camarades et moi avions l'impression qu'une journée durait plus longtemps qu'une semaine. Ceci me rappelle une des œuvres de Thomas Mann, *La montagne magique,* dans laquelle l'auteur fait état d'observations psychologiques pénétrantes et où il trace l'évolution spirituelle de certaines personnes se trouvant dans des situations et des états psychologiques analogues; ce sont des tuberculeux confinés dans un sanatorium et qui eux non plus ne connaissent pas la date de leur « libération ». Ces patients mènent une vie sans avenir et sans but.

Un des prisonniers qui, lors de son arrivée au camp, dut se joindre à une colonne et défiler avec d'autres nouveaux venus, me révéla qu'il avait eu l'impression d'assister à ses propres funérailles. Sa vie lui était apparue comme absolument vide, sans avenir. Il avait eu le sentiment qu'il était arrivé au terme de son existence, qu'il était virtuellement mort. Un autre facteur, avec le temps, intensifia ce sentiment d'absence de vie : ce fut de ne pas savoir quand se terminerait son emprisonnement. C'est cette pensée qui lui procurait les plus grandes souffrances, ainsi que le champ restreint de la prison dans laquelle il devait évoluer. Tout ce qui se déroulait en dehors des barbelés était flou, semblait hors d'atteinte et, dans une certaine mesure, irréel. Les événements et les gens du dehors, la vie normale qu'ils menaient, tout cela revêtait un aspect fantomatique. La vie au-dehors ou, du moins, ce qu'on pouvait en observer, apparaissait comme elle aurait pu apparaître à un mort contemplant la vie sur terre depuis l'autre monde.

Un homme qui se laissait dépérir parce qu'il ne pouvait se donner un but s'abandonnait alors à des pensées rétrospectives. Nous avons déjà parlé de cette tendance qu'avait le prisonnier à se pencher sur le passé afin de mieux supporter le présent horrible auquel il était voué. Mais il y avait un certain danger à priver le présent de sa réalité. Car on négligeait ainsi l'occasion, qui existait réellement, de tirer de la vie au camp des leçons positives. Le fait de ne pas croire à cette « existence provisoire » explique en grande partie pourquoi certains prisonniers perdaient leur emprise sur la vie. Ils étaient persuadés que toute lutte, toute résistance étaient devenues inutiles. Ils oubliaient ainsi que c'est précisément ce genre de situation exceptionnellement difficile qui donne à l'homme l'occasion d'atteindre une spiritualité plus accomplie. Au lieu de considérer les difficultés auxquelles ils devaient faire face comme une épreuve de courage, ils cessaient de prendre leur vie au sérieux et en méprisaient la soi-disant futilité. Ils préféraient fermer les yeux et vivre dans le passé. La vie, pour eux, avait perdu son sens.

Peu de gens sont capables d'atteindre une grande spiritualité. Cependant, quelques prisonniers eurent l'occasion de s'élever à la grandeur par le biais même de leurs souffrances et de la perspective de leur mort prochaine. Ils n'auraient pu, dans des circonstances ordinaires, atteindre ce sommet. Tandis qu'à tous les autres, c'est-à-dire les médiocres et les indifférents, aurait pu s'appliquer cette remarque de Bismarck: « La vie, c'est comme chez le dentiste. On croit toujours qu'on n'a pas encore vu le pire, et pourtant le pire est passé. » En d'autres mots, on pourrait dire que la plupart des prisonniers des camps croyaient que leurs véritables possibilités de se réaliser étaient perdues. Pourtant, l'occasion et les défis étaient là. On pouvait ou bien transformer les expériences vécues en triomphes, faire de sa vie une victoire sur soi-même, ou bien ignorer tout simplement ces défis et végéter.

Tout effort pour combattre l'influence psychopathologique du camp sur le prisonnier en employant des méthodes psychothérapeutiques ou d'hygiène psychique avait pour objet de lui faire retrouver sa force intérieure en le poussant vers un but à poursuivre. Certains prisonniers essayèrent instinctivement d'en trouver un par eux-mêmes. Une des caractéristiques de l'homme est qu'il ne peut vivre sans penser à l'avenir – *sub specie aeternitatis*. Et c'est cela qui le sauve dans les moments les plus difficiles, bien qu'il doive parfois se conditionner pour être capable d'assumer les tâches qu'il s'est imposées.

Je me souviens d'une expérience personnelle particulièrement douloureuse. Mes pieds (mal protégés par des chaussures trouées) étaient couverts d'horribles plaies. Je me traînais, tant bien que mal, dans une longue colonne de prisonniers. Nous avions à parcourir les quelques kilomètres qui séparaient le camp de notre lieu de travail. Des vents glaciaux nous cinglaient le visage, nous coupant littéralement la peau par endroits. J'étais préoccupé par les innombrables petites misères de notre pitoyable existence. Qu'y aurait-il à manger pour souper? Si on augmentait ma ration d'un bout de saucisse, devrais-je l'échanger contre un morceau de pain? Devrais-je troquer ma dernière cigarette (qui me restait d'une récompense reçue une quinzaine de jours auparavant) contre un bol de soupe ? Comment obtenir un morceau de fil de fer pour remplacer celui qui me servait de lacet ? Arriverais-je à temps dans mon groupe de travail habituel, ou me verrais-je obligé de me joindre à une équipe dont le contremaître était reconnu pour sa brutalité ? Que faire pour me gagner les bonnes grâces du capo qui pourrait m'aider à obtenir du travail dans le camp et me dispenser de cette longue et terrible marche quotidienne ?

J'étais dégoûté de me trouver dans une situation qui m'obligeait à penser constamment à ces détails triviaux. Je m'efforçai de porter mon attention sur d'autres sujets.

Soudain je me vis sur l'estrade d'une salle de conférence. Il y régnait une atmosphère chaude et agréable. Devant moi, des spectateurs attentifs étaient assis sur des sièges confortables et capitonnés. Je donnais une conférence sur la psychologie des prisonniers des camps de concentration ! Je décrivais, je revoyais, j'expliquais d'un point de vue scientifique et détaché tout ce qui m'avait opprimé à ce moment-là. Grâce à cette méthode, je parvins à m'élever au-dessus de la situation, au-dessus des souffrances du moment, et je les observai comme des choses du passé. Je devins le sujet d'une étude psycho-scientifique. Spinoza ne dit-il pas dans son *Éthique* : « *Affectus, qui passio est, desinit esse passio simulatque eius claram et distinctam formamus ideam* » ? La souffrance cesse d'être souffrance sitôt que l'on s'en forme une représentation nette et précise.

Le prisonnier qui ne croyait plus à l'avenir - son avenir - était perdu. En perdant cette foi, il perdait sa spiritualité ; il se laissait dépérir moralement et physiquement. D'ordinaire, cela se produisait assez subitement, lors d'une crise, dont les prisonniers aguerris reconnaissaient facilement les symptômes. Nous vivions tous dans la crainte de ce moment - pas pour nous, ce qui n'aurait servi à rien, mais pour nos amis. En général, cela commençait un matin lorsque le prisonnier refusait de s'habiller, de se laver, ou de rejoindre le terrain de manœuvres. Les supplications, les coups, les menaces ne faisaient aucun effet. Il restait tout simplement couché, sans bouger. Si cette crise était due à une maladie quelconque, il refusait de réagir, de lutter ; il ne voulait pas qu'on l'emmène à l'infirmerie. Il abandonnait, tout simplement. Il restait là, couché sur ses excréments, et plus rien ne le dérangeait.

J'eus, un jour, une démonstration tragique du lien étroit entre la perte de la foi en l'avenir et cette dangereuse abdication. Un jour, F., le premier surveillant de notre bloc, compositeur et librettiste bien connu, se confia à moi : « Docteur, il faut que je vous parle, me dit-il. J'ai fait un rêve étrange. Une voix m'a dit que je pouvais faire un vœu, que je n'avais qu'à dire, simplement, ce que je voulais savoir, et qu'on répondrait à mes questions. Savez-vous ce que j'ai demandé ? J'ai demandé quand la guerre se terminerait. Vous comprenez, docteur ? J'ai voulu savoir quand on nous libérerait, quand on libérerait le camp, j'ai voulu savoir quand nos souffrances cesseraient.

— Quand avez-vous fait ce rêve ? demandai-je.

— En février », répondit-il.

Nous étions au début du mois de mars 1945.

« Et que vous a répondu cette voix ? »

Il me chuchota furtivement : « Le 30 mars. »

Lorsque F. me raconta son rêve, il était plein d'espoir et convaincu que la voix de son rêve ne mentait pas. Mais à mesure que le jour attendu approchait, les nouvelles que nous recevions laissaient entendre qu'il était peu probable que nous serions libérés le 30 mars. Le 29, F. tomba soudainement malade et eut une forte fièvre. Le 30 mars, jour où, selon la vision prophétique qu'il avait eue, se terminerait la guerre et où il ne souffrirait plus, F. se mit à délirer et perdit connaissance. Le 31, il était mort. Il avait succombé au typhus.

Ceux qui connaissent le rapport étroit qui existe entre l'état d'esprit d'un homme - son courage et son espoir (ou la perte de ce courage et de cet espoir) et l'état d'immunité de son organisme comprendront qu'être privé d'espoir peut avoir sur lui un effet dévastateur ou même mortel. En dernière analyse, la mort de mon ami était due au fait qu'il n'avait pas été libéré ainsi qu'il s'y attendait. L'anéantissement de son espoir lui avait causé une terrible déception et ses capacités de résistance contre le typhus avaient été réduites à zéro. Sa foi en l'avenir et sa volonté de vivre avaient subi une sorte de paralysie et son corps avait fini par succomber à la maladie. La voix qu'il avait entendue dans son rêve avait été réellement prophétique.

Un examen de ce cas, ainsi que les conclusions que l'on peut en tirer, correspondent à une observation que m'avait faite le médecin en chef de notre camp de concentration. Il y avait eu un accroissement sans précédent du taux de mortalité dans la population du camp pendant la période se situant entre Noël 1944 et le Nouvel An 1945. Selon lui, il ne fallait attribuer cet accroissement ni aux conditions de travail plus difficiles, ni à une diminution des provisions, ni à un changement de température, ni à de nouvelles épidémies. Les décès étaient tout simplement dus au fait que la majorité des prisonniers avaient vécu dans l'espoir déraisonnable de rentrer chez eux à temps pour Noël. Comme ils n'avaient reçu, à mesure que le 25 décembre approchait, aucune nouvelle encourageante, ils avaient perdu courage et cédé à la déception. Celle-ci eut une influence pernicieuse sur leurs capacités de résistance et beaucoup d'entre eux succombèrent.

Il était indispensable, si l'on voulait aider un prisonnier à retrouver sa force intérieure, de lui suggérer un but quelconque. Les paroles de Nietzsche: « Celui qui a un "pourquoi" qui lui tient lieu de but, de finalité, peut vivre avec n'importe quel "comment" » pourraient servir de principe directeur pour toute assistance psychothérapeutique accordée à des prisonniers. Chaque fois que l'occasion se présentait, il fallait leur donner un pourquoi - un but - afin de les aider à supporter le terrible comment de leur existence. Malheur à celui qui ne trouvait plus aucun sens à sa vie, qui n'avait plus de but, plus de raison d'aller de l'avant. Il était condamné. À tout argument encourageant, un tel homme avait l'habitude de répondre : « Je n'attends plus rien de la vie. » Que répliquer à cela ?

Il fallait que nous changions du tout au tout notre attitude à l'égard de la vie. Il fallait que nous apprenions par nous-mêmes et, de plus, il fallait que nous montrions à ceux qui étaient en proie au désespoir que l'important n'était pas ce que nous attendions de la vie, mais ce que la vie attendait de nous. Au lieu de se demander si la vie avait un sens, il fallait s'imaginer que c'était la vie qui nous questionnait - journellement et à toute heure. Nous devions répondre non par des mots et des méditations, mais par de bonnes actions, une bonne conduite. Notre responsabilité dans la vie consiste à trouver les bonnes réponses aux problèmes qu'elle nous pose et à nous acquitter honnêtement des tâches qu'elle nous assigne.

Ces tâches, qui donnent un sens à la vie, sont différentes pour chaque homme et à chaque moment. Il est donc impossible de définir le sens de la vie d'une manière générale. On ne peut répondre aux questions concernant le sens de la vie par des généralisations hâtives. La « vie » n'est pas quelque chose de vague, elle est, au contraire, très réelle et très concrète, et les tâches de la vie sont très réelles et très concrètes elles aussi. Elles dessinent le destin de l'homme, et chaque destin est unique et différent. On ne peut comparer ni les hommes ni les destins. Aucune situation ne peut se répéter, et chaque situation exige une réponse particulière. Parfois, la situation dans laquelle un homme se trouve exige qu'il ait recours à l'action pour façonner son propre destin. D'autres fois, il est plus avantageux pour lui de s'adonner à la contemplation et de s'accomplir dans la spiritualité. Parfois, l'homme doit tout simplement accepter le destin et porter sa croix. Ce qui caractérise chaque situation est son unicité ; il n'y a qu'une seule bonne réponse au problème que nous pose une situation particulière.

Lorsqu'un homme se rend compte que son destin est de souffrir, sa tâche devient alors d'assumer sa souffrance. Il doit reconnaître que, même dans la souffrance, il est seul et unique au monde. Personne ne le soulagera de ses peines ou ne les endurera à sa place. Sa chance unique réside dans la façon dont il portera son fardeau.

Pour nous, les prisonniers, ces pensées n'étaient pas des spéculations éloignées de la réalité, c'étaient les seules pensées qui pouvaient nous venir en aide. Elles nous protégeaient du désespoir, même si nos chances de survie nous paraissaient très minces. Nous avions depuis longtemps cessé de nous demander si la vie avait un sens, une question plutôt naïve qui sous-entend que la vie se réalise et se justifie par le biais d'une quelconque création. Pour nous, le sens de la vie embrassait les grands cycles de la vie, de la souffrance et de la mort.

Aussitôt que la signification de la souffrance nous avait été révélée, nous refusions de minimiser ou d'alléger les tortures qu'on nous infligeait au camp en les ignorant ou en entretenant des illusions et un optimisme artificiel. La souffrance était devenue une tâche dont nous ne nous détournions plus. Nous connaissions ses possibilités cachées, celles qui allaient nous permettre de nous accomplir, ces possibilités qui incitèrent le poète Rilke à écrire: « *Wie viel ist aufzuleiden !* » (Que de souffrances à assumer !). Rilke parlait d'« assumer sa souffrance » comme d'autres auraient pu parler d'« assumer une tâche ardue ». Nous avions un nombre incalculable de souffrances à assumer. Il nous était donc nécessaire d'y faire face, et de limiter autant que possible nos moments de faiblesse. Quant à notre envie de pleurer, il fallait que nous la surmontions, sans en avoir honte cependant, car pleurer atteste de ce qu'un homme fait preuve du plus grand des courages, celui de souffrir. Très peu de prisonniers comprenaient cela. Certains n'avouaient même qu'avec honte qu'ils avaient parfois pleuré, comme ce camarade qui, lorsque je lui demandai comment il s'était remis de son œdème, me répondit: « Les larmes m'ont servi d'exutoire. »

Les débuts embryonnaires d'une psychothérapie ou, pour être plus précis, d'une hygiène psychique, étaient, lorsqu'il fut possible d'y avoir recours au camp, individuels ou collectifs. Les pratiques psychothérapeutiques individuelles consistaient en une sorte de « procédure de sauvetage ». Elles avaient notamment pour but de prévenir les tentatives de suicide. Il était formellement interdit de sauver un homme qui tentait de se suicider. Nous n'avions pas le droit, par exemple, de couper la corde avec laquelle un prisonnier essayait de se pendre. Il était donc très important d'aller au-devant de ces tentatives afin de les empêcher de se produire. Deux prisonniers, dont les mobiles étaient pratiquement semblables, nous avaient fait part de leur intention de s'enlever la vie. Les deux hommes avaient invoqué l'argument typique: ils n'attendaient plus rien de la vie. Il était donc nécessaire, dans les deux cas, de leur faire comprendre que la vie, elle, attendait quelque chose d'eux; qu'elle attendait quelque chose d'eux dans l'avenir. Nous découvrîmes que pour l'un des deux hommes c'était son enfant qu'il adorait et qui l'attendait dans un pays étranger. Pour l'autre, c'était un projet plutôt qu'une personne. Cet homme était un savant et avait écrit une série de livres qu'il se devait de terminer. Son travail ne pouvait être réalisé par quelqu'un d'autre, tout comme le père était irremplaçable pour son fils.

Cette unicité, cette singularité qui caractérise chaque individu et qui donne un sens à sa vie influence autant le travail créatif que l'amour humain. Lorsqu'il se rend compte à quel point il est irremplaçable, un homme devient profondément conscient du fait qu'il est responsable de sa vie. Un homme qui réalise l'ampleur de la responsabilité qu'il a envers un être humain qui l'attend, ou vis-à-vis d'un travail qui lui reste à accomplir, ne gâchera pas sa vie. Il connaît le « pourquoi » de cette vie, et pourra supporter tous les « comment » auxquels il sera soumis.

Il est bien évident que les possibilités de pratiquer ouvertement une psychothérapie collective dans le camp ne se présentaient pas souvent. Donner le bon exemple était plus efficace que de dispenser de simples paroles. Le surveillant en chef d'un bloc qui ne s'était pas rangé du côté des autorités avait, si son comportement était équitable et encourageant, mille occasions d'exercer une grande influence sur les hommes qui se trouvaient sous sa juridiction. L'influence immédiate que peut avoir un comportement est toujours plus efficace que celle de la parole. Par contre, lorsque quelque circonstance externe aiguisait la sensibilité des prisonniers, un mot avait autant d'effet. Un jour, à la suite d'un incident qui avait augmenté la réceptivité des détenus, l'occasion se présenta de pratiquer une psychothérapie générale sur l'ensemble des occupants d'une baraque.

Nous avions passé une très mauvaise journée. Après que nous eûmes répondu à l'appel, sur le terrain de manœuvres, on nous avait annoncé que certaines pratiques seraient désormais considérées comme des actes de sabotage et qu'elles seraient punies de mort par pendaison. Ainsi, découper de petites bandes d'étoffe dans une vieille couverture (afin de s'en entourer les chevilles) ou commettre des « vols » mineurs serait passible de la peine capitale. Quelques jours auparavant, un prisonnier affamé était entré par effraction dans le magasin de réserves alimentaires, sans doute pour y voler quelques pommes de terre. Le vol avait été découvert et certains prisonniers connaissaient manifestement le « cambrioleur ». Lorsque les autorités découvrirent le vol, elles ordonnèrent que le coupable leur soit livré, faute de quoi tous les prisonniers du camp seraient privés de nourriture pendant toute une journée. Les deux mille cinq cents détenus choisirent bien entendu le jeûne.

Le soir de ce jeûne, nous nous reposions dans notre baraque au sol de terre battue. Nous étions très découragés, maussades, enfermés en nous-mêmes. Lorsque nous échangions quelque parole avec un de nos compagnons, c'était sur un ton peu amène. Tout à coup, pour mettre un comble à notre découragement, la lumière s'éteignit. Notre moral atteignit alors son niveau le plus bas. C'est alors que le surveillant en chef de notre bloc, qui avait beaucoup de sagesse, se mit à nous parler. Il nous rappela nos camarades qui, au cours des derniers jours, avaient succombé à la maladie ou s'étaient suicidés. Il nous expliqua que, d'après lui, ces décès étaient dus à une autre cause que la maladie ou la faim. Il la nomma, cette cause; c'était la perte de l'espoir. Il nous affirma qu'il devait y avoir des moyens d'empêcher bon nombre de malheureux d'arriver à cet état extrême. Puis il me demanda de venir en aide à mes camarades.

Dieu sait que je n'étais pas d'humeur à donner des explications de nature psychologique ni à faire des sermons, en bref à montrer à mes camarades comment prendre soin de leur âme. J'avais faim et froid, j'étais épuisé, irritable.

Pourtant, je savais qu'il fallait que je surmonte mon mécontentement et que je profite de cette occasion unique. Il était devenu plus urgent que jamais de prodiguer des encouragements à ceux qui m'entouraient.

Je commençai par leur parler de choses banales touchant à leur bien-être. Je leur dis qu'en ce sixième hiver de la Seconde Guerre mondiale en Europe, notre situation n'était pas aussi mauvaise qu'elle ne le paraissait. Je leur demandai de s'interroger sur leurs malheurs, de se demander quelles pertes irremplaçables ils avaient subies jusque-là. J'expliquai à la plupart d'entre eux que leurs pertes n'étaient pas si considérables, et qu'ils n'avaient pas le droit de désespérer. N'étaient-ils pas toujours en vie ? Retrouver des choses comme la santé, sa famille, le bonheur, la possibilité de pratiquer son métier, sa fortune et sa position sociale était possible à tout prisonnier. N'étions-nous pas vivants et relativement en bonne santé ? Nos épreuves ne nous avaient-elles pas rendus plus forts ? Un jour, nous tournerions celles-ci à notre avantage. Puis, je citai une phrase de Nietzsche : « *Was mich nicht umbringt, macht mich stärker.* » (Ce qui ne m'anéantit pas me rend plus fort.)

Ensuite, je leur parlai de l'avenir. Il était vrai que, si l'on observait froidement la situation, celui-ci n'offrait pas beaucoup d'espoir. Il fallait bien admettre que nos chances de survie n'étaient pas très bonnes. Je leur dis que, quoiqu'il n'y ait toujours pas eu d'épidémie de typhus dans le camp, j'estimais que nous n'avions pas plus d'une chance sur vingt de survivre. Mais je leur déclarai que, malgré cela, je refusais de perdre espoir et qu'il n'était pas dans mes intentions d'abandonner la lutte. Car aucun homme ne savait ce que lui réservait l'avenir, et encore moins les prochaines heures. Même si nous ne pouvions nous attendre à quelque événement sensationnel dans la situation militaire au front dans les prochains jours, notre expérience au camp nous avait appris qu'il se présentait parfois des occasions uniques, du moins pour l'individu. Un prisonnier pouvait par exemple se faire assigner à un groupe spécial qui jouissait de conditions de travail exceptionnelles.

C'était là, justement, que se trouvaient ses chances de survie. Mais je ne me bornai pas seulement à parler de l'avenir et du voile épais qui l'obscurcissait. Je parlai également du passé ; de toutes ses joies qui illuminaient notre sombre présent. Je citai un autre poète - je ne voulais pas passer pour un prêcheur ! - qui a écrit : « *Was Du erlebt, kann keine Macht der Welt dir rauben.* » (Ce que tu as vécu, personne ne peut te le ravir.) Non seulement nos expériences, mais les actes que nous avons posés, les bonnes pensées que nous avons eues et toutes nos souffrances, personne ne peut nous les enlever. Même lorsque ces choses feront partie du passé, elles ne seront pas perdues, car nous les avons suscitées. Le passé est aussi présent que le présent, sinon plus.

Je parlai ensuite des nombreuses occasions grâce auxquelles il nous était permis de donner un sens à notre vie. Je dis à mes camarades (ils m'écoutaient, couchés sur leurs grabats, immobiles ; on entendait parfois un profond soupir) que la vie humaine ne cessait jamais d'avoir un sens, quelles que soient les circonstances, et que ce sens infini justifiait les privations, la souffrance et la mort. Je demandai aux pauvres créatures qui recueillaient attentivement mes paroles dans l'obscurité de la baraque de faire face à la gravité de leur situation. Il ne fallait pas désespérer, mais conserver son courage car notre lutte, même si elle paraissait parfois sans espoir, était empreinte de dignité et donnait un sens à notre vie. J'ajoutai qu'ils devaient agir, dans les moments difficiles, comme si quelqu'un les regardait - un ami, une épouse, une personne morte ou vivante, ou un Dieu. Cette personne ne voulait pas qu'on la déçoive. Elle voulait que l'on souffre avec fierté - non pas misérablement -, et elle voulait que l'on meure avec dignité.

Et enfin, je parlai de notre sacrifice qui, dans tous les cas, avait un sens. Il était dans la nature de ce sacrifice de paraître inutile aux yeux du monde normal, le monde du succès matériel. Mais notre sacrifice, en réalité, avait un sens. Ceux qui parmi nous avaient encore la foi, ajoutai-je, comprendraient sans difficulté. Je leur parlai d'un camarade qui, à son arrivée au camp, avait conclu un pacte avec le ciel. Selon ce pacte, sa souffrance et sa mort sauveraient l'être qu'il aimait d'une fin douloureuse. Pour cet homme, la souffrance et la mort avaient un sens, et son sacrifice une signification profonde. Il ne mourrait pas en vain. Personne ne voulait mourir en vain.

Le but de ce petit discours était d'essayer de trouver un sens à nos vies, séance tenante, dans cette baraque et malgré notre situation quasi désespérée. Mes efforts furent récompensés. Lorsqu'on ralluma la lampe, j'aperçus les pitoyables silhouettes de mes compagnons qui s'avançaient vers moi en clopinant. Ils voulaient me remercier ; certains d'entre eux avaient les larmes aux yeux. Je dois avouer cependant qu'il ne m'est arrivé que trop rarement, dans les camps, d'avoir eu suffisamment de force pour venir en aide à ceux qui souffraient, et que j'ai négligé plusieurs occasions de m'acquitter de ce devoir.

Ceci nous amène à présent à la troisième phase des réactions du prisonnier : la psychologie du prisonnier libéré. Mais avant d'aller plus loin, nous allons d'abord examiner une question que l'on pose souvent à un psychologue, surtout lorsqu'il a quelque expérience en la matière : Que pensez-vous du comportement impitoyable des gardiens des camps ? Comment un être humain fait de chair et d'os peut-il en arriver à traiter ses semblables avec une telle inhumanité ? Ayant entendu de nombreux récits à ce sujet et sachant que ces choses se sont vraiment passées, on ne peut s'empêcher de se demander comment elles ont été possibles.

Afin de répondre à ces questions sans entrer dans les détails, il y a certains points essentiels qu'il est bon de rappeler.

Premièrement : il y avait, parmi les gardes, des sadiques, des sadiques dans le sens purement clinique du terme.

Deuxièmement : lorsqu'un détachement de gardes très sévères devait être réuni, c'étaient ces mêmes sadiques qui étaient choisis.

Le lecteur peut-il imaginer notre joie lorsqu'on nous donnait la permission, sur le chantier, de nous chauffer pendant quelques minutes (après deux heures de travail accompli dans des conditions épouvantables, nous ressentions terriblement la morsure du froid) devant un petit poêle alimenté avec des brindilles et des débris. Pourtant, il y avait toujours un contremaître qui prenait grand plaisir à nous priver de ce bien-être. Quelle joie sadique se reflétait alors sur son visage, non seulement lorsqu'il nous défendait de nous approcher, mais surtout lorsqu'il renversait le poêle et éteignait notre petit feu dans la neige ! Lorsqu'un SS prenait un prisonnier en grippe, il l'envoyait à un de ses congénères connu pour sa passion pour la torture et généralement spécialisé dans ce domaine.

Troisièmement : la majorité des gardes étaient devenus insensibles. Le fait d'avoir été témoins, au cours des années, de scènes cruelles en avait fait des brutes au cœur de pierre. Mais ces hommes foncièrement immoraux refusaient néanmoins d'employer des méthodes sadiques. Ce qui ne les empêchait pas de fermer les yeux devant les actes de cruauté de ceux qui prenaient plaisir à faire souffrir.

Quatrièmement: je dois à la vérité de dire que certains gardes nous prenaient en pitié. Je ne mentionnerai que le commandant du camp dans lequel je me trouvais lorsque nous fûmes libérés. On découvrit après la libération que seul le médecin du camp, lui-même un prisonnier, avait été informé de ce que le commandant avait versé de sa poche une grosse somme d'argent pour obtenir des médicaments pour les détenus[2]. En revanche, le gardien en chef, prisonnier lui aussi, était plus implacable que tous les gardes SS réunis. Il battait les autres détenus chaque fois que l'occasion

2. Une intervention assez révélatrice des sentiments que lui portaient certains prisonniers juifs eut lieu à la fin de la guerre, lorsque les Américains libérèrent notre camp. Trois jeunes juifs hongrois cachèrent le commandant dans la forêt bavaroise. Ils se rendirent ensuite auprès du commandant des forces américaines, qui espérait mettre la main sur le chef SS, et lui dirent qu'ils ne lui révéleraient l'endroit où il se trouvait qu'à certaines conditions, et notamment s'il leur promettait qu'on ne lui ferait aucun mal. Quelque temps après, l'officier américain promit aux jeunes juifs qu'une fois en captivité le commandant SS serait en sécurité. Les trois jeunes gens décidèrent de lui faire confiance. Non seulement l'officier américain tint sa parole, mais l'ancien commandant SS du camp de concentration fut, dans une certaine mesure, rétabli dans ses fonctions. Il fut chargé de superviser les collectes de vêtements dans les villages bavarois avoisinants, ainsi que leur distribution à tous ceux qui portaient encore les vêtements hérités d'autres prisonniers du camp d'Auschwitz. Inutile de dire que ces prisonniers avaient été envoyés aux chambres à gaz dès leur arrivée à la gare.

s'en présentait, alors que le commandant du camp, pour autant que je sache, n'avait jamais porté la main sur un prisonnier.

Le simple fait de savoir qu'un homme était ou un garde ou un prisonnier ne pouvait en aucune façon faire augurer de sa conduite. Il y a de braves gens dans tous les groupes, même dans ceux dans lesquels on pourrait normalement s'attendre à ne trouver que des brutes. Dans les camps, les lignes de démarcation entre les différents groupes se chevauchaient, et il serait injuste de simplifier les choses en disant que ceux-ci étaient des anges et que ceux-là étaient des démons. Il était certes très rare qu'en dépit de toutes les mauvaises influences du camp un garde soit bon avec les détenus. Par ailleurs, un prisonnier qui maltraitait ses camarades était très mal vu. Les prisonniers déploraient un tel manque de caractère chez ces hommes, tandis qu'ils étaient profondément émus à la moindre manifestation de gentillesse d'un garde. Je me souviens qu'un contremaître me fit un jour présent d'un morceau de pain qui constituait une partie de sa ration du matin. Ce ne fut pas tant le fait d'avoir reçu un peu de nourriture qui à ce moment-là m'avait ému jusqu'aux larmes, ce fut ce « quelque chose » d'humain qui avait accompagné ce don, les paroles et le regard qui avaient ajouté à ce geste toute sa valeur humaine.

Il n'y a que deux catégories d'hommes dans ce monde : celle des hommes convenables et celle des hommes qui ne le sont pas. On les retrouve dans tous les groupes sociaux. Il n'y a pas de groupe qui ne se compose que de gens convenables ni de groupe fait exclusivement de gens de la catégorie opposée. Dans ce sens, il n'y a pas de groupe qui soit homogène. Un homme convenable se glissait parfois parmi les gardes du camp.

La vie concentrationnaire mettait l'âme humaine à nu, l'exposant dans ses profondeurs ultimes. Était-il si surprenant de découvrir dans ces profondeurs l'essence même de l'humain, c'est-à-dire un mélange de bien et de mal ? Mais la faille qui sépare le bien du mal, et qui passe à travers chaque être humain, atteignait les profondeurs les plus extrêmes et devenait suprêmement évidente au fond de cet abîme qu'entrouvrait le camp de concentration.

Ce qui nous amène à la dernière phase de la psychologie du détenu des camps de concentration – la psychologie du prisonnier libéré. En décrivant l'expérience de la libération, qui doit nécessairement être personnelle, nous allons renouer le fil de cette partie de notre récit qui commence ce matin où, après plusieurs jours d'extrême tension, un drapeau blanc fut hissé au-dessus des portes du camp. Le suspense dans lequel on nous avait tenus fut suivi d'une période d'apaisement total. Mais aussi paradoxal que cela puisse paraître, la joie ne se mit pas à régner pour autant parmi nous. Il est difficile d'expliquer ce phénomène. Mais reprenons notre récit là où nous l'avons laissé.

Nous nous traînâmes péniblement jusqu'aux portes du camp, jetant des regards craintifs autour de nous et nous interrogeant du regard. Ensuite nous fîmes quelques pas en dehors du camp. Cette fois-ci, aucun ordre ne fut crié, et il ne fut pas nécessaire de baisser vivement la tête pour éviter les coups. Oh non ! Cette fois-ci, les gardes nous offrirent des cigarettes ! C'était à peine si nous les reconnaissions ; ils avaient revêtu leurs habits civils. Nous marchâmes lentement le long de la route qui partait du camp. Nos jambes commençaient à nous faire si mal que nous nous demandions si elles allaient continuer à nous porter. Mais nous poursuivîmes néanmoins notre route, tant bien que mal ; nous tenions à voir les environs du camp avec des yeux d'hommes libres. « La liberté, nous répétions-nous à nous-mêmes, la liberté ! » Et pourtant nous n'arrivions pas encore à y croire. Nous avions tant et tant répété ce mot durant ces années de captivité qu'il avait perdu son sens. Cette réalité nouvelle n'avait pas pénétré dans notre conscient ; nous n'arrivions pas à croire que nous étions libres.

Nous approchâmes d'un pré couvert de fleurs. Nous les voyions, ces fleurs, nous réalisions qu'elles étaient là, mais nous ne ressentions rien. La première étincelle de joie éclata lorsque nous aperçûmes un coq ; il était magnifique, les plumes de sa queue étaient multicolores. Mais ce ne fut qu'une étincelle ; nous n'appartenions pas encore à ce monde.

Le soir, lorsque les prisonniers se rencontrèrent dans la baraque, l'un dit à un autre à voix basse : « Dis-moi, est-ce que tu as ressenti de la joie aujourd'hui ? »

Et l'autre, qui avait honte car il ne savait pas que nous éprouvions tous la même chose, répondit : « Honnêtement, non ! » Nous n'avions plus la capacité de ressentir de la joie, et nous savions qu'un certain temps s'écoulerait avant que nous en soyons capables.

En termes psychologiques, les prisonniers libérés traversaient une période de « dépersonnalisation ». Tout semblait irréel, peu plausible ; nous percevions les choses comme dans un rêve. Nous ne pouvions croire ce que nos yeux nous disaient. Combien de fois nos rêves nous avaient-ils trahis ! Nous avions si souvent rêvé que le jour de la libération était arrivé, qu'on nous avait relâchés, que nous étions rentrés chez nous, que nous avions retrouvé nos amis, embrassé nos femmes, que nous nous étions assis à table pour raconter les épreuves que nous avions traversées. Ce jour de la libération, nous l'avions vu dans nos rêves, jusqu'à ce qu'un coup de sifflet retentisse à nos oreilles... C'était le signal nous annonçant qu'il était l'heure de se lever, et nos rêves de liberté prenaient fin. Et maintenant le rêve se réalisait. Pouvions-nous vraiment y croire ?

Le corps est moins soumis aux inhibitions que l'esprit. Et nos corps avaient d'emblée tiré profit de leur nouvelle liberté. Nous nous étions mis à manger voracement, au fil des heures et des jours, pendant la nuit même. La capacité d'absorption d'un corps qui a été affamé est étonnante. Lorsqu'un des prisonniers était l'invité d'un fermier accueillant du voisinage, il dévorait tout ce qu'il pouvait, puis il buvait du café, qui lui déliait la langue, et il se mettait alors à parler, des heures durant. Toute cette pression avec laquelle il avait si longtemps vécu était enfin relâchée.

À l'entendre parler, on avait l'impression qu'il fallait qu'il parle, que son besoin de parler était irrépressible. J'ai connu des gens qui, bien qu'ayant vécu beaucoup moins longtemps sous pression (pendant un contre-interrogatoire mené par les SS, par exemple), eurent cependant des réactions semblables aux nôtres. Plusieurs jours s'écoulèrent avant que non seulement leur langue arrivât à se délier, mais aussi quelque chose à l'intérieur d'eux-mêmes; soudain, leurs sentiments se délivraient des chaînes qui les avaient emprisonnés.

Un jour, peu après notre libération, je marchais à travers la campagne et les prairies en fleurs vers le petit village de commerçants qui se trouvait à quelques kilomètres du camp. Des alouettes s'envolèrent et j'entendis leur chant joyeux. Il n'y avait personne en vue; j'étais seul, avec la terre, le ciel, la gaieté des alouettes et ma liberté nouvelle. Je m'arrêtai, je regardai autour de moi, puis vers le ciel, et je tombai à genoux. J'en savais très peu à ce moment sur le monde et sur moi-même. Je n'avais qu'une phrase en tête - toujours la même: de mon angoisse, j'ai crié vers Yahvé. Il m'exauça, me mit au large[3].

Je ne sais combien de temps je suis resté agenouillé, répétant cette phrase. Mais je sais qu'en ce jour, à cette heure, je commençai une nouvelle vie. Petit à petit, j'allais redevenir un être humain.

Le chemin qui partait de l'extrême tension nerveuse des derniers jours (de cette guerre des nerfs à la tranquillité d'esprit) ne fut certes pas sans obstacles. Ce serait une erreur de croire qu'un prisonnier libéré n'avait plus besoin d'aide spirituelle. Il faut considérer qu'un homme qui a vécu sous des pressions aussi terribles pendant si longtemps n'est pas entièrement à l'abri du danger après sa libération, surtout si cette pression s'est relâchée subitement. Ce danger (au sens où l'entend l'hygiène psychique) est l'équivalent psychologique du « mal des caissons ». De même qu'un sujet qui travaille dans un caisson s'exposerait à un danger s'il quittait subitement sa caisse métallique (dans laquelle il se trouve soumis à une énorme pression atmosphérique), de même un homme qui tout d'un coup est libéré de toute pression psychologique risque de voir sa santé mentale et spirituelle considérablement affectée.

3. Traduction de la Bible de Jérusalem, éd. du Cerf, 1956. (*N.D.T.*).

Durant cette phase psychologique, les gens qui étaient dotés d'une nature plus primitive ne purent se dégager des influences de la brutalité à laquelle ils avaient été exposés au camp. Ils ne surent pas utiliser leur liberté à bon escient, et celle-ci dégénéra en licence. Une seule chose avait changé pour eux : au lieu d'être les opprimés, ils étaient devenus les oppresseurs. Après avoir été les victimes, ils devinrent les instigateurs de violences préméditées et d'injustices. Pour justifier leur comportement, ils invoquaient les expériences épouvantables qu'ils avaient vécues. Leurs comportements nouveaux se manifestaient lors d'incidents apparemment insignifiants. Un jour, je traversais un pré en direction du camp avec un ami lorsque soudain nous nous arrêtâmes devant des terres cultivées. Je me mis automatiquement en devoir de les contourner, mais il me prit par le bras et m'entraîna à sa suite à travers la plantation. Je balbutiai qu'il ne fallait pas écraser les jeunes pousses avec les pieds. Il me lança un regard furieux et s'écria : « Qu'est-ce que tu racontes ! Et nous, on ne nous a pas écrasés ? Ma femme et mon enfant ont été gazés - sans compter le reste de ma famille - et tu oses me défendre de marcher sur quelques brins d'avoine ? »

On n'avait d'autre recours, devant des réactions semblables, que de montrer au malheureux qui s'y livrait le chemin qui menait à cette vérité banale selon laquelle un homme n'a pas le droit de faire du mal, même s'il a subi quelque tort. Il fallait le ramener, petit à petit, à cette vérité, afin d'éviter des conséquences beaucoup plus graves que le gaspillage de deux ou trois mille tiges d'avoine. Je revois encore ce prisonnier retrousser ses manches et me montrer sa main droite en s'écriant : « Qu'on me coupe cette main si je ne la tache pas de sang le jour où je rentrerai chez moi ! » Je tiens à souligner que cet homme n'était pas méchant. Nous étions les meilleurs amis du monde, pendant et après notre internement.

Outre cette morale déréglée qui procédait d'une diminution ou de la suppression des tensions, il y avait deux autres expériences fondamentales qui menaçaient d'affecter le caractère du prisonnier libéré : l'amertume et le désabusement qui l'envahissaient lorsqu'il retournait à sa vie antérieure.

L'amertume était due à nombre de choses auxquelles il se heurtait dès son retour chez lui. Lorsqu'un homme s'apercevait que ceux qui l'entouraient restaient indifférents à son sort ou qu'ils le banalisaient, il avait tendance à devenir amer et à se demander pourquoi il avait traversé toutes ces épreuves. Quand il entendait encore et toujours les mêmes phrases : « On ne savait rien » et « On a souffert, nous aussi », il se demandait : « N'ont-ils vraiment rien d'autre à me dire ? »

Le problème est différent lorsqu'un prisonnier libéré vit l'expérience du désabusement. Ce n'étaient pas ses semblables (dont le caractère superficiel et l'insensibilité lui semblaient si répugnants qu'il avait parfois envie de se cacher dans un trou et de refuser de voir et d'entendre un être humain pour le reste de sa vie) mais le destin lui-même qui lui semblait cruel. Un homme qui, pendant des années, avait cru qu'il avait atteint les dernières limites de la souffrance se rendait soudainement compte qu'il n'y avait pas de limite à la souffrance, et qu'il pouvait souffrir davantage, et encore plus intensément.

Lorsque je parlais plus haut des tentatives faites pour redonner du courage à un prisonnier, je disais qu'il fallait lui faire découvrir quelque chose qu'il attendrait avec impatience. Il fallait lui rappeler que la vie l'attendait, qu'un être humain attendait son retour. Mais ce ne fut, hélas !, pas toujours le cas après la libération ! Certains s'aperçurent que personne ne les attendait. Malheur à celui qui apprenait que la personne dont la pensée l'avait occupé, cette personne grâce à laquelle il avait conservé le courage de survivre, n'était plus de ce monde ! Malheur aussi à celui qui, lorsque le jour tant attendu était arrivé, l'avait découvert transformée, différente de l'être dont il avait gardé le souvenir. Il était monté dans un train, s'en était retourné chez lui, dans ce foyer dont il avait rêvé pendant des années, qu'il avait recréé dans son imagination en quelque sorte, puis il avait sonné à la porte, comme il avait mille fois rêvé de faire, pour constater que la personne qui était censée lui ouvrir n'était pas là, et ne serait plus jamais là.

Lorsque nous étions au camp, nous nous disions qu'aucun bonheur terrestre ne pourrait compenser les souffrances que nous étions en train d'endurer. Nous ne désirions pas le bonheur, ce n'était pas cette pensée qui nous donnait du courage et qui donnait un sens à notre souffrance, à nos sacrifices et à notre mort. Mais nous n'étions pas non plus préparés pour la tristesse qui allait suivre notre libération. Cette déception, qui attendait bon nombre de prisonniers, fut une expérience extrêmement difficile à surmonter. Et il était très difficile à un psychiatre d'aider les personnes touchées à surmonter ce désabusement. Mais cette difficulté le stimulait au lieu de le décourager.

Il arrive à chaque prisonnier libéré de se demander comment il a pu passer au travers des horreurs vécues au camp. Sa libération lui est apparue comme un rêve, et voici que ses expériences au camp lui apparaissent comme un cauchemar. Mais l'expérience la plus forte et la plus exaltante, pour l'homme qui rentre chez lui après avoir vécu ces souffrances inoubliables, est le sentiment merveilleux qu'il n'a vraiment plus rien à craindre, excepté son Dieu.

DEUXIÈME PARTIE

La logothérapie en bref

Ceux qui ont lu ma courte autobiographie ont généralement réclamé une explication plus complète et plus directe de mon approche thérapeutique. C'est pourquoi j'ai exposé dans un texte court ce qu'était la logothérapie. Cela n'a cependant pas suffi et j'ai été littéralement assailli de requêtes me demandant d'approfondir davantage mes explications. Je les ai donc reprises dans le présent ouvrage en les développant davantage. Ma tâche ne fut pas aisée. Transmettre au lecteur, dans un texte aussi bref, des données qui en allemand forment vingt volumes est une tâche quasi impossible. Cela me rappelle ce médecin américain qui vint me voir un jour à mon bureau et me demanda si j'étais psychanalyste. Je lui répondis : « Pas exactement ; disons que je suis psychothérapeute.

— À quelle école appartenez-vous ? poursuivit-il.

— J'ai fondé ma propre théorie : la logothérapie.

— Pouvez-vous me dire en une phrase ce que vous entendez par logothérapie ?

— Je vais vous le dire, répondis-je, mais, en premier lieu, pouvez-vous me résumer en une phrase l'essence de la psychanalyse ?

— Lors d'une psychanalyse, le patient s'étend sur un divan et révèle des choses qui lui sont parfois très pénibles », dit-il.

Ce à quoi je lui ai répondu :

« Eh bien, en logothérapie, le patient reste assis mais il doit parfois écouter des choses très pénibles. »

Certes, je plaisantais et n'entendais pas résumer ainsi la logothérapie. Il y avait cependant du vrai dans mes paroles :

en effet, si on la compare à la psychanalyse, la logothérapie est moins rétrospective et moins introspective. Elle s'intéresse plutôt à l'avenir, c'est-à-dire à la signification que le client peut lui donner. En fait, la logothérapie est une psychothérapie fondée sur le sens de la vie. Elle aide le patient à sortir des cercles vicieux et des mécanismes de défense qui jouent un si grand rôle dans le développement des névroses. En conséquence, loin d'être continuellement renforcé, l'égocentrisme qui caractérise le patient névrosé se trouve brisé.

Je simplifie évidemment. Néanmoins, en logothérapie, le patient se trouve confronté au sens de la vie et, en en prenant conscience, il est souvent plus à même de surmonter sa névrose.

Laissez-moi vous expliquer pourquoi j'ai appelé mon approche la logothérapie. Le terme *logos,* en grec, signifie « raison ». La logothérapie ou, comme certains auteurs l'ont appelée, « la troisième école viennoise de psychothérapie », se penche tant sur la raison de vivre de la personne que sur ses efforts pour en découvrir une : ces efforts, à mon avis, constituent une force motivante fondamentale chez l'être humain. C'est pourquoi je parle de « recherche d'un sens à la vie » plutôt que de « recherche du plaisir » sur lequel est fondée la psychanalyse freudienne, ou que de la « volonté de puissance », qui est au centre de la psychologie adlérienne.

LA RECHERCHE D'UN SENS À LA VIE

Les efforts de l'homme pour trouver un sens à sa vie constituent une motivation fondamentale et non une « rationalisation secondaire » de ses pulsions. Sa raison de vivre est unique car elle n'est révélée qu'à lui seul : c'est alors seulement qu'elle prend un sens pouvant satisfaire son besoin existentiel. Certains auteurs soutiennent que les raisons de vivre et les valeurs de l'homme ne sont rien d'autre que « des mécanismes de défense, des formations réactionnelles et des sublimations ». Quant à moi, je ne pourrais pas vivre pour l'amour de mes « mécanismes de défense », pas plus que je ne serais prêt à mourir pour mes « formations réactionnelles ». Mais l'humain peut néanmoins vivre pour préserver ses idéaux et ses valeurs. Il peut même mourir pour eux !

De nombreux sondages confirment que tous et chacun ont besoin de vivre pour « quelque chose ou quelqu'un » pour lequel ils sont prêts à mourir.

Alors que seize pour cent des gens considèrent comme très important de gagner de l'argent, soixante-dix-huit pour cent d'entre eux choisissent de trouver un sens à leur vie.

Bien sûr, dans certains cas, une personne en quête de valeurs dissimule de réels conflits intérieurs, mais c'est là l'exception qui confirme la règle. Il s'agit alors habituellement de pseudo-valeurs que le thérapeute doit démasquer. Toutefois, celui-ci doit s'arrêter dès qu'il trouve chez la personne un désir sincère de mener une vie aussi significative que possible. S'il n'y arrive pas, la seule chose qu'il « démasquera » sera son propre « motif caché », soit son besoin inconscient de déprécier ce qui est authentique et fondamental chez l'être humain.

L'homme ne réussit pas toujours à trouver une raison de vivre. On parle alors, en logothérapie, de « frustration existentielle ». Le terme « existentiel » peut se rapporter à trois choses : 1) à l'existence en soi, c'est-à-dire la façon d'être expressément humaine ; 2) au « sens » de l'existence ; 3) à l'effort de l'homme pour trouver une signification concrète à son existence, c'est-à-dire une raison de vivre.

La frustration existentielle peut provoquer des névroses, les « névroses noogènes », par opposition aux névroses traditionnelles ou psychogènes. Les névroses noogènes prennent naissance, non dans la dimension psychologique de l'existence humaine, mais plutôt dans sa dimension « noogénique » (en grec, *nos* signifie « esprit »). Il s'agit ici d'un autre terme propre à la logothérapie qui caractérise tout ce qui appartient à la dimension proprement humaine.

LES NÉVROSES NOOGÈNES

Les névroses noogènes proviennent de l'absence de raison de vivre.

Dans les cas de névroses noogènes, la logothérapie est plus appropriée que la psychothérapie, puisqu'elle touche à la dimension existentielle de l'être.

Voici un exemple. Un diplomate de haut rang est venu me voir un jour afin de poursuivre ses traitements en psychanalyse commencés cinq ans plus tôt avec un autre analyste. Je lui ai demandé d'abord pourquoi il croyait devoir continuer cette psychanalyse, et pour quelle raison il avait estimé nécessaire d'en commencer une. Il est apparu que mon patient n'aimait pas sa profession et n'approuvait pas la politique étrangère de son gouvernement. Son analyste, toutefois, l'avait invité maintes et maintes fois à se réconcilier avec son père car, à son avis, le gouvernement et ses supérieurs n'étaient « rien d'autre » que des figures paternelles ; en conséquence, sa désillusion face à son travail était due à la haine qu'il éprouvait inconsciemment pour son père. Au cours de ces cinq ans, son analyste l'avait tellement poussé à accepter ses interprétations que cet homme ne distinguait plus la réalité au travers de ces interprétations confuses. Après quelques séances où nous avons beaucoup discuté, il est devenu clair que son travail l'empêchait de trouver un sens à sa vie et, qu'en fait, il désirait ardemment en changer. Comme rien ne l'en empêchait, il l'a fait avec grand plaisir. Depuis cinq ans qu'il exerce son nouveau métier, il en est toujours satisfait. Dans son cas, je doutais qu'il s'agisse d'une névrose et qu'il ait besoin de psychothérapie ou même de logothérapie.

Tous les conflits s'originant dans une névrose ne sont pas nécessairement morbides et il est normal d'en vivre un certain nombre. De même, la souffrance n'est pas toujours pathologique ; loin d'être un symptôme de névrose, elle constitue parfois une réalisation humaine, surtout si elle tire sa source d'un vide existentiel. La personne qui cherche un sens à sa vie n'est pas malade. La personne qui est à la recherche d'une raison de vivre, ou en proie au désespoir parce qu'elle ne la trouve pas, souffre de détresse existentielle mais certainement pas d'une maladie mentale. Il se peut très bien qu'en interprétant ainsi la détresse de son patient, le médecin se sente justifié de la noyer dans une mer de tranquillisants, alors que son rôle serait plutôt de guider son patient pour l'aider à traverser cette crise.

Le logothérapeute a pour but d'aider son client à trouver un sens à sa vie. Grâce à la logothérapie, le client prend conscience de ses raisons de vivre cachées. Toutefois, en essayant de ramener certaines choses à la conscience de son client, le logothérapeute tient compte de ses réalités existentielles, tels son but dans la vie et son désir de le découvrir. Toute analyse, même quand elle n'inclut pas la dimension noologique dans son processus thérapeutique, vise à rendre le client conscient de ce qu'il désire vraiment dans la profondeur de son être. La logothérapie s'éloigne de la psychanalyse dans la mesure où elle considère que l'être humain cherche avant tout à donner un sens à sa vie plutôt qu'à satisfaire uniquement ses besoins et ses instincts ou à s'adapter à la société et à son environnement.

LA NOODYNAMIQUE

Certes, la recherche d'un sens à sa vie peut créer chez la personne une tension plutôt qu'un équilibre interne. Cette tension est toutefois indispensable à sa santé mentale. Rien au monde ne peut aider une personne à survivre aux pires conditions mieux que ne peut le faire sa raison de vivre. Nietzsche a raison quand il dit que celui qui a une raison de vivre peut endurer n'importe quelle épreuve, ou presque. Dans les camps de concentration nazis, les plus aptes à survivre étaient les prisonniers qui avaient un projet à réaliser après leur libération. D'autres écrivains ont tiré la même conclusion dans leurs ouvrages sur les camps de concentration, et des enquêtes menées dans les camps de prisonniers de guerre au Japon, en Corée-du-Nord et au Viêtnam-du-Nord confirment cette théorie.

Quand j'ai été interné à Auschwitz, on m'a confisqué un manuscrit prêt à être publié. Il est sûr que mon désir profond de le récrire m'a aidé à survivre aux rigueurs des camps où j'ai été interné. C'est ainsi qu'atteint de fièvre typhoïde dans un camp en Bavière, j'ai entrepris de griffonner sur des bouts de papier des notes qui me permettraient de récrire mon livre si je survivais. Je suis sûr que les efforts que j'ai déployés dans les sombres baraquements d'un camp de concentration bavarois m'ont aidé à surmonter les dangers d'une attaque cardiovasculaire.

Cela prouve que la santé mentale est fondée sur un certain degré de tension entre ce que nous avons déjà réalisé et ce qu'il nous reste à réaliser, ou sur la différence entre ce qu'on est et ce qu'on devrait être. Cette tension étant inhérente à l'être humain, et donc, indispensable à sa santé mentale, on ne devrait pas hésiter à le confronter avec le sens de sa vie. Ainsi, ce sens passera chez lui d'un état de latence à un état conscient. À mon avis, il est risqué de croire que la santé mentale dépend avant tout d'un équilibre intérieur dénué de toute tension. Ce dont l'humain a besoin, ce n'est pas de vivre sans tension, mais bien de tendre vers un but valable, de réaliser une mission librement choisie. Il a besoin, non de se libérer de sa tension, mais plutôt de se sentir appelé à accomplir quelque chose. Dans une saine dynamique existentielle, chacun éprouve une tension entre son but à atteindre et sa situation actuelle. Ce principe est valable non seulement pour les personnes normales, mais aussi pour les personnes souffrant de névrose. L'architecte qui veut renforcer une voûte menaçant de s'effondrer augmente le poids qu'elle soutient, de façon que ses différentes parties s'épousent plus étroitement. Donc, si le thérapeute veut renforcer la santé mentale de son client, il ne doit pas craindre de créer en lui une tension lorsqu'il essaie de l'orienter vers la recherche d'un but à atteindre.

Ayant montré les avantages d'une réorientation en ce sens, je désire me pencher sur un sentiment qui affecte un grand nombre de personnes aujourd'hui : le sentiment que la vie n'a aucun sens.

Elles n'ont pas de raison de vivre consciente. Elles sont hantées par un sentiment de vide intérieur, le « vide existentiel ».

LE VIDE EXISTENTIEL

Le vide existentiel est à notre époque très répandu et on peut l'attribuer à la double perte qu'a subie l'homme en devenant un véritable être humain. Au début de son histoire, l'homme a perdu quelques-uns des instincts fondamentaux qui dirigent et garantissent le comportement animal. Cette garantie, comme celle du paradis, l'homme l'a perdue pour toujours : maintenant, il doit faire des choix. De plus, au cours de son évolution, il a souffert d'une autre perte plus récente : les traditions qui soutenaient son comportement ont rapidement disparu. Désormais, ni son instinct, ni la tradition ne lui dictent sa conduite ; il lui arrive même de ne pas savoir ce qu'il veut. Ou il cherche à imiter les autres (conformisme) ou il se plie à leurs désirs (totalitarisme).

Un sondage effectué récemment auprès de mes étudiants européens a révélé chez vingt-cinq pour cent d'entre eux un degré plus ou moins marqué de vide existentiel. Chez mes étudiants américains, ce pourcentage s'élevait à soixante pour cent.

Le vide existentiel se manifeste surtout par un état d'ennui. On comprend maintenant pourquoi Schopenhauer a dit que l'humanité semblait réduite à osciller éternellement entre les deux points extrêmes de l'angoisse et de l'ennui. De fait, l'ennui qu'éprouvent leurs patients donne certainement plus de fil à retordre aux psychiatres que l'angoisse. De plus, le problème risque de s'aggraver à mesure que l'automation augmente les heures de loisir des travailleurs moyens. Nombre d'entre eux, malheureusement, ne savent pas comment utiliser ce temps libre nouvellement acquis.

Prenons par exemple la « névrose du dimanche », cette espèce de dépression qui affecte certaines personnes lorsqu'elles prennent conscience, une fois la semaine de travail terminée, de leur vide intérieur. Nombreux sont les suicides qui ont pour cause ce vide existentiel. Des phénomènes aussi répandus que la dépression, l'agressivité et la toxicomanie proviennent du vide existentiel qui les sous-tend. Cela est vrai aussi pour les crises que subissent les retraités et les gens qui ont peur de vieillir.

Le vide existentiel peut prendre plusieurs aspects. La recherche d'un sens à la vie est parfois remplacée par la recherche du pouvoir, incluant sa forme la plus primitive, soit le désir de gagner toujours plus d'argent. Dans d'autres cas, c'est la recherche du plaisir qui y est substituée. C'est pourquoi la personne qui souffre de frustration existentielle essaie parfois de compenser le vide qu'elle éprouve en recherchant les plaisirs sexuels.

Ces symptômes se rencontrent de plus en plus souvent chez les clients souffrant d'un vide existentiel.

Voyons maintenant ce qu'on peut faire pour un client qui s'interroge sur le sens de sa vie.

LE SENS DE LA VIE

Je doute qu'un médecin puisse répondre à cette question en termes généraux. La raison de vivre, en effet, varie en fonction des individus, de leur situation et de leur histoire. Ce n'est donc pas le sens global de la vie qui importe, mais bien celui que lui attribue une personne à un moment donné de sa vie. Poser la question d'une manière générale équivaudrait à demander à un champion d'échecs de nommer le meilleur coup au monde. Il n'existe pas de meilleur coup ni même de bon coup, sauf dans une situation donnée dans une partie et pour un adversaire donné. Il en est ainsi pour l'existence humaine. Inutile de chercher un sens abstrait à la vie. Chacun a pour mission de mener à bien une tâche concrète unique et, de ce fait, il ne peut être remplacé, de même que sa vie ne peut être renouvelée. La vocation de chacun est donc unique, tout comme sa façon de la réaliser. Comme chaque situation représente un défi pour chaque personne, la question du sens de la vie peut en fait être posée à l'envers. En fin de compte, la personne ne devrait pas demander quelle est sa raison de vivre, mais bien reconnaître que c'est à elle que la question est posée. En un mot, chaque personne fait face à une question que lui pose l'existence et elle ne peut y répondre qu'en prenant sa propre vie en main. C'est pourquoi la logothérapie considère la responsabilité comme l'essence même de l'existence humaine.

LA RESPONSABILITÉ, ESSENCE DE L'EXISTENCE

L'importance de la responsabilité se reflète dans ce défi de la logothérapie : vivre comme si c'était la seconde fois et qu'on s'apprêtait à répéter les mêmes erreurs ! Il me semble que rien ne saurait davantage stimuler le sens des responsabilités que cette maxime qui invite d'abord à imaginer que le présent est passé, puis qu'on ne peut pas changer le passé. On se trouve ainsi confronté tant au caractère limité de la vie qu'au caractère irrévocable de ce qu'on fait de sa vie et de soi-même.

En logothérapie, le thérapeute essaie de faire voir à son client quelles sont ses responsabilités. *C'est à chacun de choisir ce dont il veut être responsable, envers quoi ou envers qui.* Le logothérapeute est moins tenté que les thérapeutes traditionnels d'imposer ses valeurs à ses patients car il n'accepte jamais la responsabilité de faire des choix à leur place.

C'est donc au client de décider s'il doit interpréter son but dans la vie en termes de responsabilité envers la société ou envers sa propre conscience. Il y a des gens toutefois qui ne tiennent pas seulement compte de leur mission, mais aussi de la personne qui la leur a assignée.

Le logothérapeute n'enseigne pas plus qu'il ne prêche. Il est aussi éloigné du raisonnement logique que de l'exhortation morale. Pour parler en termes figurés, le rôle du logothérapeute s'apparente davantage à celui de l'ophtalmologiste qu'à celui du peintre. Le peintre essaie de nous montrer le monde tel qu'il le perçoit ; l'ophtalmologiste, tel qu'il est réellement. Le rôle du logothérapeute consiste à élargir le champ de vision de son client afin qu'il puisse prendre conscience du sens de la vie dans son entier.

En disant que l'homme est responsable de réaliser son but dans la vie, je désire souligner *qu'il doit le chercher à l'extérieur plutôt qu'en lui-même* ou dans sa psyché, comme si c'était un système fermé. J'ai appelé cette caractéristique de la logothérapie l'« autotranscendance de l'existence humaine ». Elle sous-entend que la vie de l'être humain est toujours dirigée vers quelque chose ou quelqu'un d'autre que soi-même, qu'il s'agisse d'un but à atteindre ou d'un être humain à connaître et à aimer. Plus on s'oublie soi-même - en se consacrant à une cause ou à une personne que l'on aime -, plus on est humain, et plus on se réalise. Ce que l'on appelle l'actualisation de soi n'est pas un but à atteindre, pour la simple raison qu'à faire trop d'efforts on risque de ne pas y parvenir. En d'autres mots, l'actualisation de soi n'est possible que comme effet secondaire de la transcendance de soi.

Jusqu'à présent, nous avons vu que si l'existence prend un sens différent pour chacun, elle n'en est cependant jamais dénuée. Selon la logothérapie, on peut découvrir le sens de la vie de trois façons différentes : 1) à travers une œuvre ou une bonne action ; 2) en faisant l'expérience de quelque chose ou de quelqu'un ; et 3) par son attitude envers une souffrance inévitable.

LE SENS DE L'ACCOMPLISSEMENT

La première façon, qui passe par l'accomplissement d'une œuvre, est assez évidente. Les deuxième et troisième façons demandent des explications plus détaillées.

LE SENS DE L'AMOUR

La deuxième façon de trouver un sens à sa vie est de faire l'expérience de la bonté, de la vérité, de la beauté, par exemple de prendre contact avec la nature ou avec une certaine culture ou - ce qui est encore mieux – de connaître le caractère unique d'un être humain à travers l'amour. L'amour est la seule façon de connaître l'essence même d'une autre personne. Il révèle à celui qui aime les caractéristiques essentielles de la personne aimée et même les possibilités qu'elle n'a pas encore réalisées. En outre, grâce à l'amour de l'autre, cette même personne prend conscience de ses potentialités et s'efforce de les réaliser.

L'amour n'est pas un simple épiphénomène des besoins et des instincts sexuels, une prétendue sublimation. L'amour est un phénomène aussi fondamental que le sexe. En fait, le sexe en est l'expression. Il est justifié, sacré même, dès qu'il devient le véhicule de l'amour. Ainsi, on ne considère pas l'amour simplement comme un effet secondaire du sexe. Celui-ci est plutôt l'expression concrète de cette union ultime qu'on appelle l'amour.

LE SENS DE LA SOUFFRANCE

La troisième façon de trouver un sens à sa vie passe par la souffrance assumée.

Il est possible de trouver un sens à l'existence, même dans une situation désespérée, où il est impossible de changer son destin. L'important est alors de faire appel au potentiel le plus élevé de l'être humain, celui de transformer une tragédie personnelle en victoire, une souffrance en une réalisation. Lorsqu'on ne peut modifier une situation – si l'on est face à une mort inévitable – on n'a pas d'autre choix que de se transformer.

Laissez-moi vous donner un exemple précis. Un médecin d'un certain âge est venu me consulter parce qu'il souffrait d'une grave dépression depuis deux ans. Il ne pouvait se remettre de la mort de sa femme, qu'il avait aimée plus que tout au monde. Que pouvais-je pour lui ? Que lui dire ? J'ai décidé de lui poser la question suivante :

« Et si vous étiez mort le premier et que votre femme ait eu à surmonter le chagrin provoqué par votre décès ?

— Oh ! pour elle, cela aurait été affreux ; comme elle aurait souffert !

— Eh bien, docteur, cette souffrance lui a été épargnée, et ce, grâce à vous. Certes, vous en payez le prix puisque c'est vous qui la pleurez. »

Il n'a rien dit, mais il m'a serré la main et a quitté mon bureau calmement. La souffrance cesse de faire mal au moment où elle prend un sens. Elle devient alors un acte sacré, un sacrifice.

Il ne s'agissait pas là de thérapie dans le sens habituel du terme puisque le désespoir de mon patient ne provenait pas d'une maladie ; de plus, je ne pouvais changer son sort ni lui redonner sa femme. Cependant, j'ai réussi à changer son attitude face à son destin en donnant un sens à sa souffrance. Il s'agit là d'un principe fondamental de la logothérapie, *l'être humain ne cherche pas avant tout le plaisir ni la souffrance, mais plutôt une raison de vivre.* Voilà pourquoi l'homme est prêt à souffrir s'il le faut, mais à la condition, bien sûr, que sa souffrance ait un sens.

Qu'on me comprenne bien : loin de moi l'idée que la souffrance est nécessaire pour donner un sens à la vie. J'insiste seulement sur le fait qu'on peut trouver ce sens même à travers la souffrance, si celle-ci est inévitable. Si elle ne l'est pas, toutefois, il faudrait en éliminer la cause, qu'elle soit psychologique, biologique ou politique. Accepter de souffrir inutilement procède du masochisme plutôt que d'un quelconque héroïsme.

La regrettée Edith Weisskopf-Joelson, professeur de psychologie, affirmait, dans un article sur la logothérapie : « notre philosophie actuelle sur la santé mentale insiste sur la nécessité d'être heureux et considère la tristesse comme un signe d'inadaptation. Ce système de valeurs ajoute peut-être au poids d'une tristesse inévitable celui de la tristesse d'être triste. » Dans un autre article, elle exprimait l'espoir de voir la logothérapie « neutraliser l'effet de certaines tendances malsaines modernes, qui enlèvent au malade incurable la possibilité d'être fier de sa souffrance et de la juger ennoblissante. En conséquence, ce malade est non seulement malheureux, mais encore il a honte de l'être ».

La possibilité de faire notre travail ou de jouir de la vie nous est parfois retirée momentanément. La souffrance prend parfois un caractère inéluctable. Si l'on accepte cette occasion de souffrir avec courage, la vie conserve son sens jusqu'au dernier moment. En d'autres termes, la vie n'est jamais absurde puisqu'elle conserve son sens même dans le cas d'une souffrance inévitable.

Je vous raconterai à présent une de mes expériences les plus intenses vécues dans un camp de concentration, où les chances de survie n'étaient alors que de trois pour cent, ainsi que l'ont démontré les statistiques. J'avais très peu d'espoir de sauver le manuscrit de mon premier livre, que j'avais caché dans mon manteau à mon arrivée à Auschwitz. J'ai donc dû surmonter la souffrance que me causait la perte de mon œuvre. Il me semblait alors que rien ni personne ne me survivrait : ni les enfants issus de ma chair, ni mon enfant spirituel ! Je me suis donc vu confronté à la question de savoir si, dans ces circonstances, ma vie avait encore un sens.

Je n'ai pas immédiatement vu que je possédais déjà en moi la réponse à la question qui me tourmentait aussi passionnément et j'ignorais qu'elle me serait très bientôt révélée. Cela m'est arrivé lorsque je dus échanger mes vêtements contre les guenilles d'un camarade qu'on avait envoyé au four crématoire aussitôt après son arrivée à la gare d'Auschwitz. J'avais perdu mon volumineux manuscrit, mais j'ai trouvé en revanche dans la poche de mon nouveau manteau une seule page d'un livre de prières hébreu, qui contenait la plus importante prière juive. Comment interpréter cette coïncidence autrement que comme une invitation à concrétiser mes pensées plutôt que de me contenter de les mettre sur papier ?

Un peu plus tard, j'ai eu l'impression que ma mort était imminente. Dans cette situation critique, toutefois, mes préoccupations différaient de celles de la plupart de mes camarades. Ils se demandaient s'ils allaient survivre au camp et, sinon, à quoi servaient toutes leurs souffrances. La question qui me préoccupait était de savoir si la souffrance et la mort que je voyais autour de moi avaient un sens. Si elles n'en avaient pas, à quoi bon vivre ? En effet, une vie dont la signification dépendrait uniquement d'un événement fortuit, comme la fuite, n'aurait en fin de compte aucun sens.

PROBLÈMES MÉTACLINIQUES

De plus en plus, le psychiatre moderne fait face à des problèmes humains plutôt qu'à des symptômes de névrose chez ses patients. Certaines personnes qui consultent un psychiatre aujourd'hui auraient, hier, vu un pasteur, un prêtre ou un rabbin. Or, elles refusent désormais l'aide du clergé et c'est leur médecin qu'elles interrogent sur le sens de la vie.

UN LOGODRAME

Voici un exemple. La mère d'un enfant mort à l'âge de onze ans est venue à l'hôpital après une tentative de suicide. Elle avait été invitée à se joindre à un groupe de thérapie, et j'étais entré par hasard dans la pièce, où le thérapeute dirigeait un psychodrame, au moment où elle racontait son histoire. À la mort de son petit garçon, elle était restée seule avec son aîné, qui souffrait de paralysie infantile. Le petit ne pouvait se déplacer autrement qu'en chaise roulante. Révoltée contre son sort, la mère avait essayé de tuer son fils pour se suicider ensuite, mais celui-ci l'en avait empêchée : il désirait vivre, lui ! Sa vie avait encore un sens. Pourquoi n'en était-il pas ainsi pour elle ? Comment pouvions-nous l'aider à trouver une raison de vivre ?

J'ai décidé de participer à la discussion et demandé à une autre femme du groupe de me dire son âge. « Trente ans », m'a-t-elle répondu. « Imaginez que vous n'avez pas trente ans, ai-je répondu, mais quatre-vingts et que vous gisez sur votre lit de mort. Vous regardez en arrière et revoyez une vie sans enfant, agrémentée de succès financiers et dans laquelle vous occupiez une position sociale prestigieuse. » Je l'ai invitée ensuite à imaginer ce qu'elle éprouverait dans cette situation, ce qu'elle se dirait. Voici sa réponse, enregistrée pendant la séance : « J'ai épousé un millionnaire. Ma vie a été facile et j'en ai profité pleinement. Je n'ai jamais manqué de rien. J'ai flirté avec les hommes. Mais maintenant j'ai quatre-vingts ans et je n'ai pas d'enfant. En regardant en arrière, je ne comprends pas à quoi ma vie a servi : en fait, cette vie n'est qu'un échec ! »

J'ai alors invité la mère de l'enfant infirme à s'imaginer dans une situation analogue et à jeter un regard sur la vie qu'elle avait menée. Voici sa réponse : « Je désirais des enfants et mon désir a été exaucé ; l'un d'eux est mort, et l'autre aurait été mis en institution si je n'en avais pas accepté la responsabilité. Bien qu'il soit infirme, c'est mon petit garçon. J'ai donc essayé de lui faciliter la vie autant que possible ; j'en ai fait un être humain plus complet. » À cet instant, elle éclata en sanglots et poursuivit : « Je peux regarder en arrière en paix. Ma vie a été remplie de sens et j'ai fait de mon mieux pour me réaliser et aider mon fils. Ma vie n'a pas été un échec. » En regardant sa vie comme si elle la voyait de son lit de mort, elle y trouvait soudain un sens, qui justifiait même sa souffrance. En outre, elle avait vu qu'une vie aussi courte que celle de son enfant pouvait être si remplie de joie et d'amour qu'elle était plus significative qu'une vie longue de quatre-vingts années.

Après un moment, je demandai au groupe entier si le singe qui sert de cobaye lors des recherches visant à découvrir un nouveau vaccin était capable de saisir le sens de sa souffrance. À l'unanimité, le groupe répondit que cela était impossible et qu'il n'y parviendrait jamais, son intelligence limitée l'excluant du monde conscient, le seul où la souffrance peut avoir un sens. Je posai ensuite la question suivante : « Et que dire de l'être humain ? Êtes-vous certains que l'humanité est un point terminal dans l'évolution du cosmos ? Ne pourrait-on concevoir l'existence d'une autre dimension, d'un monde au-delà du nôtre ; un monde dans lequel la question du sens ultime de la souffrance humaine trouverait une réponse ? »

LE SUPER-SENS

Ce sens ultime dépasse naturellement les capacités naturelles limitées de l'être humain. En logothérapie, on parle, dans ce contexte, de super-sens. Ce qu'on demande à l'homme, ce n'est pas, comme l'enseignent certains philosophes existentiels, d'admettre que la vie est dénuée de sens, mais bien d'accepter, raisonnablement, son inaptitude à saisir son sens inconditionnel. Ce sens dépasse la simple logique.

Un psychiatre qui va plus loin que la notion de supersens se trouvera tôt ou tard déconcerté face à ses patients, comme je le fus lorsque ma fille, alors âgée de six ans, m'a posé la question suivante : « Pourquoi parle-t-on du "bon" Dieu ? » Ce à quoi j'ai répondu : « Il y a quelques semaines, tu avais la rougeole et le "bon" Dieu t'a guérie. » Peu satisfaite par cette réponse, ma fille a répliqué : « Oui, mais n'oublie pas que c'est lui aussi qui me l'avait donnée. »

Lorsqu'un client possède de solides convictions religieuses, rien n'interdit d'employer l'effet thérapeutique que celles-ci peuvent avoir sur lui en faisant appel à ses ressources spirituelles. Le thérapeute peut alors se mettre à la place de son client. C'est exactement ce que je fis lorsqu'un rabbin m'a raconté son histoire. Sa première femme et leurs six enfants étaient morts à Auschwitz, dans les chambres à gaz, et sa deuxième femme était stérile. Je lui ai fait remarquer qu'une vie fondée uniquement sur la procréation n'aurait pas de sens, et qu'une chose dénuée de sens ne peut en acquérir par le seul fait qu'elle est perpétuée. Malheureusement, ce rabbin jugeait sa condition avec les yeux d'un juif orthodoxe et déplorait le fait qu'il n'aurait pas de fils pour dire la prière des morts lorsqu'il quitterait ce monde.

Je n'ai pas abandonné la partie. J'ai fait une dernière tentative pour l'aider en lui demandant s'il n'espérait pas revoir ses enfants au ciel. Ma question a provoqué une crise de larmes et la vraie raison de son chagrin est alors apparue : comme ses enfants étaient morts en martyrs, ils méritaient la plus haute place au ciel, alors que lui, un vieux pécheur, n'y aurait pas droit. « Peut-être avez-vous survécu à vos enfants précisément pour être purifié à travers la souffrance afin de devenir digne de les rejoindre au ciel, lui dis-je. N'est-il pas écrit dans les *Psaumes* que Dieu conserve toutes vos larmes ? Votre souffrance n'est peut-être pas vaine. » Pour la première fois depuis de nombreuses années, sa souffrance a été allégée grâce à la nouvelle perspective que je lui proposais.

LA VIE EST ÉPHÉMÈRE

Les éléments qui semblent enlever tout son sens à la vie humaine incluent non seulement la souffrance mais aussi la mort. Je ne me lasse jamais de répéter que les seuls aspects réellement transitoires de la vie sont les aspects potentiels qui, dès qu'ils sont actualisés, deviennent aussitôt réalité et sont préservés dans le passé où ils perdent leur caractère passager. *Car, dans le passé, tout est conservé à jamais.*

Le caractère éphémère de notre existence ne lui enlève donc pas son sens. C'est cependant ici qu'intervient notre responsabilité ; car tout dépend de la mesure dans laquelle nous réaliserons notre potentiel essentiellement transitoire. L'être humain fait constamment des choix parmi l'ensemble de ses talents potentiels du moment. Quel talent restera latent et lequel actualisera-t-il ? Lequel choisira-t-il d'immortaliser dans les « sables du temps » ? À tout moment, l'être humain doit choisir, pour le meilleur ou pour le pire, quel sera le monument de son existence.

En général, l'être humain ne se rappelle que le caractère éphémère de la vie au détriment de la richesse d'un passé qui conserve pour toujours ses actions, ses joies et ses souffrances. On ne peut pas revenir en arrière, ni abolir ses actions passées. *Je dirais qu'« avoir été » est la forme la plus sûre d'être.*

La logothérapie, sans nier le caractère transitoire essentiel de l'existence humaine, n'est pas pessimiste mais plutôt « activiste ». En termes figurés, disons que le pessimiste ressemble à la personne qui voit avec tristesse son calendrier s'amincir de jour en jour à mesure qu'il en enlève les feuilles. Par contre, la personne qui aborde avec enthousiasme les problèmes de la vie ressemble à la personne qui range soigneusement les feuilles de son calendrier après avoir griffonné quelques notes à l'endos. Elle peut se pencher avec joie et fierté sur toute la richesse contenue dans ces notes, sur tous les moments d'une vie dont elle a pleinement joui. Que lui importe de vieillir ? Pourquoi regretter sa jeunesse et envier les jeunes ? Pour les possibilités que leur réserve l'avenir ? Non point. Elle est pleinement consciente de la richesse de son passé, qui contient non seulement la réalité du travail accompli et de ses amours vécues, mais aussi de ses souffrances bravement affrontées. C'est encore de ces souffrances qu'elle est le plus fière, même si elles ne peuvent pas inspirer d'envie.

LA LOGOTHÉRAPIE ET SES TECHNIQUES

On sait qu'on ne peut apaiser une peur ayant un fondement aussi réel que celle de la mort par des explications logiques. Par ailleurs, une peur névrotique comme l'agoraphobie ne peut être guérie par des explications philosophiques. La logothérapie a développé une technique spéciale permettant de résoudre ces problèmes. Pour comprendre son fonctionnement, considérons d'abord une condition courante, l'angoisse d'anticipation. Ce type d'anxiété engendre précisément ce qu'on appréhende. Par exemple, la personne qui craint de rougir en entrant dans une pièce pleine de monde est en fait plus encline qu'une autre à rougir. Dans ce contexte, on pourrait remplacer l'idée voulant que le désir engendre la pensée par celle disant que la peur est mère de l'événement.

Tout comme la peur provoque exactement ce dont on a peur, le désir excessif rend impossible à obtenir ce qu'on désire à tout prix. Cette intention excessive, ou « hyperintention », s'observe particulièrement dans les cas de problèmes sexuels.

Plus un homme essaie de démontrer sa puissance sexuelle et plus une femme veut arriver à l'orgasme, moins ils y réussissent. Le plaisir est un effet secondaire du sexe et on le détruit dans la mesure où on en fait un but à atteindre.

En plus de l'intention excessive dont je viens de parler, l'attention excessive, ou « hyperattention », peut aussi entraîner des problèmes, comme le montre l'exemple suivant. Une jeune femme est venue me voir parce qu'elle se croyait frigide. Étant enfant, elle avait dû subir les assauts sexuels de son père. Toutefois, ce n'est pas cette expérience traumatisante en soi qui avait causé son problème sexuel, comme je pus le constater. C'est en lisant des ouvrages de psychanalyse qu'elle avait contracté la crainte de devoir un jour payer le prix de son expérience malheureuse. Cette appréhension avait provoqué en elle un désir excessif de confirmer sa féminité ; en outre, toute son attention se portait vers elle-même plutôt que vers son partenaire. Cela suffisait à l'empêcher d'atteindre l'orgasme, qui devenait alors un objet de désir et d'attention au lieu de demeurer une conséquence inattendue de son amour et de son abandon envers son partenaire. Après quelques traitements de logothérapie, l'attention et l'intention excessives de la patiente concernant son aptitude à l'orgasme furent « déréfléchies », un autre terme propre à la logothérapie. Lorsqu'elle a reporté son attention à l'endroit approprié, c'est-à-dire sur son partenaire, elle a atteint spontanément l'orgasme. Il existe, en logothérapie, une technique particulière pour traiter les cas d'impuissance sexuelle. Cette technique est fondée sur les théories de l'hyperintention et de l'hyperréflexion que j'ai décrites plus haut. Malheureusement, il m'est impossible de les élaborer dans le court exposé que je désire faire ici sur les principes de la logothérapie.

L'« intention paradoxale », une technique propre à la logothérapie, est fondée sur le double fait que la peur provoque l'effet qu'on appréhende et que l'hyperintention empêche la réalisation du désir. Avec cette technique, le thérapeute invite le client à adopter en pensée, ne fût-ce qu'un instant, le comportement qu'il appréhende.

En voici un exemple. Un jeune médecin m'a consulté parce qu'il éprouvait une crainte constante de trop transpirer. Or, l'anxiété qu'il éprouvait rien qu'à y penser suffisait à le faire transpirer abondamment. Afin de briser ce cercle vicieux, je lui ai conseillé, à chaque nouvel accès, de décider de montrer cette capacité anormale à ceux qui l'entouraient. À la suite de notre entretien, chaque fois qu'il rencontrait une personne susceptible de déclencher en lui son angoisse d'anticipation, il se disait: «Je n'ai sué qu'un litre d'eau jusqu'à présent, mais maintenant, je vais en suer au moins dix!» Résultat: ayant souffert de sa phobie pendant quatre ans, il put, après une seule consultation, s'en libérer de façon permanente en moins d'une semaine.

Le lecteur notera que cette technique consiste à renverser l'attitude du patient en transformant sa peur en un désir paradoxal. Ce traitement tire parti de l'anxiété même du patient.

Ce type de procédé, toutefois, fait appel à la faculté typiquement humaine qu'est le détachement face à soi-même inhérent au sens de l'humour. Chaque fois qu'on applique la technique de l'intention paradoxale, on mise sur l'aptitude fondamentale de l'être humain à se détacher de lui-même. Du même coup, il réussit à prendre une certaine distance face à sa propre névrose. Gordon W. Allport tient des propos semblables dans un de ses ouvrages: «Le névropathe qui apprend à rire de lui-même est peut-être en voie de se prendre en main et même de guérir.» La technique de l'intention paradoxale vient entériner les paroles d'Allport de façon empirique et en représente l'application clinique.

Voici quelques autres exemples pour préciser davantage cette méthode. Un autre patient, un comptable, avait consulté, sans succès, de nombreux médecins. Lorsqu'il a été admis à l'hôpital, son désespoir était extrême et il m'a avoué avoir songé au suicide. Il souffrait depuis quelques années d'une crampe d'écrivain qui s'était tellement aggravée qu'il risquait de perdre son emploi. Seule une thérapie à court terme pouvait donc améliorer sa situation. Au début du traitement, un de mes collègues lui avait conseillé de faire juste l'opposé de ce qu'il faisait habituellement. Au lieu d'essayer d'écrire aussi nettement et lisiblement que possible, il devait faire le pire gribouillage possible en se disant: « Je vais leur montrer, moi, comme je sais bien gribouiller ! » Dès qu'il voulut griffonner, il en fut incapable ! En quarante-huit heures, il s'était débarrassé de sa crampe et celle-ci n'est pas revenue. Il est redevenu tout à fait apte au travail.

Un collègue du service de laryngologie me décrivit un cas semblable qui s'appliquait toutefois au langage plutôt qu'à l'écriture. C'était le cas le plus grave de bégaiement qu'il eût rencontré au cours de ses nombreuses années de pratique. Le patient, autant qu'il s'en souvienne, avait toujours bégayé, sauf à une occasion: lorsqu'il avait douze ans, s'étant accroché à l'arrière d'un tramway et ayant été pris sur le fait par le chauffeur, il avait tenté de susciter la sympathie de ce dernier afin d'échapper au châtiment. Mais lorsqu'il avait voulu bégayer, il en avait été incapable. Sans le savoir, il avait appliqué le procédé de l'intention paradoxale à des fins non thérapeutiques.

Cette histoire ne devrait pas laisser entendre que la méthode de l'intention paradoxale n'est efficace que pour les patients ne présentant qu'un seul symptôme.

Grâce à cette technique, mes assistants ont réussi à résoudre des cas de névrose obsessionnelle parmi les plus graves. Je me rappelle, par exemple, cette femme de soixante-cinq ans qui souffrait depuis soixante ans d'une phobie du nettoyage qui tenait de l'obsession. Ma collègue a appliqué le procédé de l'intention paradoxale et, deux mois plus tard, sa patiente menait une vie normale. Avant son admission à l'hôpital, elle avait avoué que sa vie était un enfer. Handicapée par son obsession des bactéries, elle passait toutes ses journées au lit, entièrement incapable de tenir sa maison propre. Après la thérapie, son obsession lui revenait parfois. Cependant, elle était désormais capable d'« en rire » ; bref, elle appliquait le procédé de l'intention paradoxale.

Ce procédé peut être utile aussi dans les cas d'insomnie. *La peur de l'insomnie crée une hyperintention de dormir qui finit par tenir éveillé.* Dans la plupart des cas, cette peur est attribuable à l'ignorance. En effet, l'organisme prend naturellement les heures minimales de sommeil dont il a besoin. Pour l'aider à surmonter sa peur, je conseille habituellement à mon client, non pas d'essayer de dormir, mais de faire exactement le contraire : de rester éveillé le plus longtemps possible. En d'autres termes, l'hyperintention de dormir, qui provient de l'appréhension à cet égard, doit être remplacée par l'intention paradoxale de ne pas dormir, qui provoquera aussitôt le sommeil.

La méthode de l'intention paradoxale n'est pas une panacée, mais c'est une technique très utile dans les cas d'obsession, de compulsion et de phobie, surtout si on souffre d'angoisse d'anticipation. En outre, même si c'est une mesure thérapeutique à court terme, cela ne veut nullement dire qu'elle ne produit que des effets de courte durée. Emil A. Gutheil l'a formulé ainsi : « Une des plus grandes illusions propres à l'orthodoxie freudienne, c'est de croire que la durabilité des résultats dépend de la durée de la thérapie. » Je me souviens d'un client qui appliqua, il y a plus de trente ans, le procédé de l'intention paradoxale et qui en a éprouvé les effets thérapeutiques de façon permanente.

Une des caractéristiques les plus remarquables de la technique de l'intention paradoxale est son efficacité, quelles que soient les causes de la névrose. Cela confirme les propos suivants d'Edith Weisskopf-Joelson : « La psychothérapie traditionnelle insiste pour fonder les traitements thérapeutiques sur la découverte des causes, mais il est possible que certains facteurs entraînent des névroses dans la plus petite enfance d'un patient et que des facteurs entièrement différents guérissent ces névroses dans sa période adulte. »

Ces éléments constituants mis à part, les mécanismes de rétroaction comme l'angoisse d'anticipation semblent être des facteurs importants dans le développement des névroses somatiques ou psychiques. Un symptôme donné engendre une phobie qui, elle, déclenche le symptôme qui, à son tour, renforce la phobie. Une telle réaction en chaîne, toutefois, s'observe chez la personne obsessive qui lutte contre des idées qui la hantent. Elle craint que ses obsessions ne soient l'indice d'une psychose imminente ou même réelle ; elle n'est pas consciente du fait que sa névrose obsessionnelle la protège contre une réelle psychose plutôt que de la pousser dans cette direction. Mais, en luttant contre son obsession, elle en augmente le pouvoir puisque la pression crée une contre-pression. Le symptôme se trouve ainsi renforcé. Par contre, dès que la personne cesse de lutter contre ses obsessions et essaie de les ridiculiser en appliquant le procédé de l'intention paradoxale, elle brise le cercle vicieux et le symptôme s'atténue pour finalement disparaître. La personne qui ne souffre pas du vide existentiel, non seulement réussira à rire de sa peur névrotique, mais finira aussi par l'oublier complètement.

L'efficacité de l'intention paradoxale pour lutter contre l'angoisse d'anticipation est donc évidente : il faut contrer l'hyperintention ainsi que l'hyperréflexion par la déréflexion ; toutefois, celle-ci n'est possible qu'en orientant le client vers sa vocation particulière dans la vie. *Moins on met d'efforts sur ses conflits et plus on pense à ses buts, il se produit que l'on s'oublie soi-même et la vie dans son ensemble prend davantage de sens,* même si la névrose ne disparaît pas complètement.

Ce n'est pas la préoccupation excessive de soi, qu'il s'agisse de pitié ou de mépris, qui brise le cercle vicieux : la clé de la guérison, c'est la transcendance de soi !

LA NÉVROSE COLLECTIVE

Chaque époque connaît sa névrose collective et a besoin d'une psychothérapie particulière pour y faire face. Le vide existentiel, qui constitue la névrose collective de notre temps, peut être décrit comme une forme de nihilisme, une négation de toute valeur de l'être humain. Mais la psychothérapie ne pourra jamais répondre aux besoins de l'époque si elle ne reste pas libre de l'influence contemporaine de la philosophie nihiliste ; autrement, elle représentera un symptôme de la névrose collective plutôt que sa cure possible. La psychothérapie, dans ce cas, ne ferait pas que refléter une philosophie nihiliste mais, à son insu, elle transmettrait aussi au patient une caricature de l'être humain plutôt qu'une image vraie.

Avant tout, il est dangereux d'enseigner que l'être humain est « uniquement » le produit des conditions biologiques, psychologiques et sociologiques, ou encore de l'hérédité et de son environnement. Une telle vision de l'homme incite le névrosé à croire ce qu'il est enclin à croire de toute façon, qu'il soit la victime d'influences extérieures ou de circonstances internes. Ce fatalisme névrotique se trouve renforcé par une psychothérapie qui nie la liberté de l'être humain.

Certes, la personne humaine est limitée, tout comme sa liberté. Elle n'est pas libre par rapport aux conditions qui l'entourent, mais elle peut prendre position à leur égard. Je suis pleinement conscient que l'être humain est influencé par certaines conditions biologiques, psychologiques et sociologiques. Mais comme j'ai survécu aux camps de concentration, je peux témoigner de l'aptitude incroyable de l'être humain à défier les pires conditions imaginables.

L'être humain n'est pas complètement conditionné ; il a le choix d'accepter les conditions qui l'entourent ou de s'y opposer. En d'autres termes, il ne fait pas qu'exister, mais il façonne lui-même sa vie à chaque moment.

CRITIQUE DU PAN-DÉTERMINISME

On a souvent blâmé la psychanalyse pour son prétendu pansexualisme. Je doute, pour ma part, que ce reproche ait jamais été justifié. Toutefois, il existe à mon avis une théorie encore plus erronée et plus dangereuse, que j'appelle « pan-déterminisme ». J'entends par là une vision de l'être humain qui nie son aptitude à prendre position à l'égard des conditions auxquelles il est soumis, quelles qu'elles soient. L'être humain n'est pas complètement conditionné ; il a le choix d'accepter les conditions qui l'entourent ou de s'y opposer. Autrement dit, il ne fait pas qu'exister, mais il façonne lui-même sa vie à chaque moment.

Ainsi, chaque être humain possède la liberté de changer à chaque instant. C'est pourquoi on ne peut pas prédire son avenir dans le cadre d'un sondage se rapportant à un groupe ; sa personnalité, elle, reste essentiellement imprévisible. Toutes les prédictions sont fondées sur les conditions biologiques, psychologiques et sociologiques qui l'entourent. Une des principales caractéristiques de l'être humain est sa capacité de s'élever au-dessus de ces conditions. Il est capable de changer le monde d'une manière positive et de s'améliorer si nécessaire.

Je voudrais vous raconter l'histoire du Dr J., le seul homme dont j'oserais dire qu'il était un être méphistophélique.

À l'époque de la Seconde Guerre mondiale, on l'appelait le « meurtrier fou de Steinhof » (il était médecin dans ce grand hôpital psychiatrique de Vienne). Lorsque les nazis mirent sur pied leur programme d'euthanasie, c'était lui qui tirait les ficelles et il était si fanatique qu'il envoya presque tous les psychotiques à la chambre à gaz. De retour à Vienne après la guerre, je m'enquis du sort du Dr J. et j'appris qu'il avait été emprisonné dans une cellule d'isolement à Steinhof. Mais, un matin, il s'était enfui et on ne l'avait jamais revu. Plus tard, j'acquis la conviction qu'à l'instar de bien d'autres prisonniers il avait gagné l'Amérique du Sud avec l'aide de ses complices. Or, un ancien diplomate autrichien qui avait été emprisonné derrière le rideau de fer pendant de nombreuses années, d'abord en Sibérie, puis dans la fameuse prison Lubianka à Moscou, vint me consulter dernièrement. Pendant que je l'examinais, il me demanda soudain si je connaissais le Dr J. J'acquiesçai, et il poursuivit :

« Je l'ai connu à Lubianka, où il est mort d'un cancer de la vessie à l'âge de quarante ans. Avant sa mort, c'était le meilleur des compagnons. Il consolait tout le monde et sa conduite était irréprochable. Il a été mon meilleur ami durant mes longues années d'incarcération. »

Voilà l'histoire du Dr J., le « meurtrier fou de Steinhof ». Comment oserions-nous prédire le comportement des humains ? On peut prévoir les mouvements d'une machine, d'un robot ; on peut même essayer de prédire les mécanismes ou les « dynamismes » de la psyché humaine ; mais l'être humain est bien plus que sa psyché.

MON CREDO PSYCHIATRIQUE

Cependant, la liberté n'est pas tout. Elle ne représente en fait que l'aspect négatif d'un phénomène global dont l'aspect positif est la responsabilité. En outre, elle risque de devenir arbitraire si elle n'est pas exercée avec responsabilité. La responsabilité et la liberté sont comme les deux faces d'une même médaille : aussi importantes l'une que l'autre.

Il est difficile de concevoir ce qui conditionnerait la personne au point de lui enlever toute liberté. Même en état de névrose ou de psychose, elle dispose toujours d'une parcelle de liberté. En fait, le cœur même de sa personnalité n'est même pas touché par la psychose.

Un psychotique incurable peut perdre son utilité dans la société tout en conservant sa dignité humaine. Mais le psychotique incurable n'est-il qu'un cerveau d'automate endommagé et irréparable ? S'il n'était rien que cela, l'euthanasie serait justifiée.

LA PSYCHIATRIE RÉHUMANISÉE

Pendant trop longtemps, un demi-siècle en fait, la psychologie a tenté de réduire l'être humain à un simple mécanisme et, en conséquence, la thérapie à une simple technique. J'ose croire que cette aberration a pris fin. On voit maintenant poindre à l'horizon, non pas les premiers traits d'une médecine psychologique, mais plutôt ceux d'une psychiatrie humanisée.

Toutefois, le médecin qui verrait encore son rôle comme celui d'un technicien montrerait que son patient n'est pour lui qu'une machine, et non un être humain malade !

L'être humain n'est pas un objet, mais un être qui choisit son destin. Dans les limites de ses dons naturels et de son environnement, il est responsable de ce qu'il devient. Ainsi, dans les camps de concentration, véritables laboratoires et terrains d'observation, nous avons vu des hommes se comporter comme des porcs et d'autres comme des saints. L'être humain possède en lui deux potentiels. C'est lui qui décide lequel il veut actualiser, indépendamment des conditions qui l'entourent.

Notre génération est réaliste, car elle a appris à connaître l'être humain tel qu'il est vraiment. Certes l'homme a inventé les chambres à gaz d'Auschwitz, mais c'est lui aussi qui y est entré, la tête haute et une prière aux lèvres.

Postface à l'édition de 1984

Pour un optimisme tragique

La présente postface est dédiée à la mémoire d'Edith Weisskopf-Joelson, qui entreprit des recherches en logothérapie en 1955 et apporta une contribution remarquable à cette théorie.

Qu'entendons-nous par « optimisme tragique » ? Brièvement, cette expression signifie que l'on reste optimiste en dépit de la « triade tragique », comme on l'appelle en logothérapie. Cette triade est formée des aspects suivants de l'existence humaine : 1) la souffrance ; 2) le sentiment de culpabilité ; et 3) la mort. Dans le présent chapitre, je désire poser la question suivante : « Comment peut-on dire oui à la vie, en dépit de tout ? Comment, pour poser la question différemment, la vie peut-elle conserver son sens en dépit de tous ses aspects tragiques ? Cela ne supposerait-il pas que l'existence conserve un sens dans n'importe quelles conditions, même les plus misérables, et que l'être humain est capable d'en transformer les aspects négatifs ? En d'autres mots, ce qui compte, c'est de tirer le meilleur parti possible de chaque situation. « Le meilleur » se traduit en latin par « *optimum* » – voilà pourquoi je parle ici d'optimisme tragique, c'est-à-dire un optimisme face à la tragédie, en tenant compte de l'aptitude de l'homme qui, lorsqu'il est en accord avec lui-même, peut : 1) transformer la souffrance en réalisation humaine ; 2) trouver dans son sentiment de culpabilité l'occasion de s'améliorer ; et 3) agir de façon responsable face au caractère transitoire de la vie.

On doit toutefois garder en mémoire le fait que l'optimisme ne se commande pas. On ne peut se forcer à un optimisme aveugle quand tous les vents semblent contraires et qu'on n'a plus d'espoir. Ce qui est vrai pour l'espoir l'est aussi pour les deux autres composantes de la triade, dans la mesure où la foi et l'amour ne se commandent pas non plus.

LA RECHERCHE DU BONHEUR

Les Européens considèrent comme une caractéristique de la culture américaine la nécessité d'être heureux sur commande. Cependant, on ne peut pas poursuivre le bonheur, il doit s'ensuivre naturellement. On doit avoir une raison d'être heureux. Une fois cette raison trouvée, le bonheur devient automatique. L'être humain ne cherche pas le bonheur, mais plutôt une raison d'être heureux ; et c'est en comprenant la signification potentielle d'une situation donnée qu'il trouvera cette raison.

Il existe un autre phénomène humain qui exige une cause : le rire. Pour faire rire quelqu'un, on doit lui fournir une raison, lui raconter une blague, par exemple. Lui demander de sourire sans raison ne donnerait qu'une grimace. Quand on demande à une personne qu'on veut photographier de sourire, on n'obtient qu'un sourire artificiel.

En logothérapie, on appelle « hyperintention » un modèle de comportement qui joue un rôle primordial dans le développement des névroses sexuelles, qu'il s'agisse de frigidité ou d'impuissance. Plus la personne essaie d'atteindre l'orgasme, au lieu de s'oublier elle-même et de s'abandonner à l'autre, moins elle réussit. Ce qu'on appelle le « principe du plaisir » devient plutôt un rabat-joie.

LA PERTE DU SENS DE LA VIE

Lorsqu'une personne a trouvé un sens à sa vie, elle est non seulement heureuse, mais elle est aussi capable de faire face à la souffrance. La personne qui cherche en vain une signification à son existence peut en mourir. Rappelons-nous, par exemple, ce qui se passait dans certaines situations extrêmes comme dans les camps de concentration. On y a observé un modèle de comportement typique qu'on a appelé le « renoncement ». On le retrouvait chez des prisonniers qui, un beau matin, préféraient rester étendus sur la paille souillée d'urine et d'excréments de leur lit plutôt que de se lever. Ni les menaces, ni les avertissements ne pouvaient les faire changer d'avis. Puis, ils avaient ce geste typique : ils extrayaient une cigarette de la poche où ils l'avaient cachée et l'allumaient. Dès cet instant, nous savions qu'ils allaient se laisser mourir et que cela ne prendrait probablement pas plus de quarante-huit heures. Chez ces prisonniers, la recherche du sens de la vie avait cédé la place à la recherche du plaisir immédiat.

Cela n'évoque-t-il pas un autre parallèle, auquel nous faisons face jour après jour ? Je pense à ces jeunes qui, dans le monde entier, se considèrent comme une génération « sans avenir ». Or, ils ne fument pas que des cigarettes, ils consomment aussi des drogues.

RAISON DE VIVRE, DROGUE ET DÉPRESSION DU CHÔMAGE

En réalité, le phénomène de la drogue n'est qu'un aspect d'un phénomène collectif plus général qui est un des stigmates de nos sociétés industrielles : le sentiment que la vie est dénuée de sens, sentiment qui résulte du vide existentiel. Le sentiment d'une existence inutile joue un rôle croissant dans le développement des névroses. Trente pour cent des personnes se présentant à une clinique externe de psychiatrie se plaignent du vide de la vie.

Les gens ont assez d'argent pour vivre, mais aucune raison de vivre. Ils ont les moyens mais pas les motifs. Il est vrai que certains n'ont même pas les moyens. Je pense en particulier à tous ceux qui sont sans emploi. Au début de ma pratique, j'ai publié une étude sur un type particulier de dépression que j'avais diagnostiqué chez mes jeunes patients et que j'appelais alors la « dépression du chômage ». J'y démontrais que cette névrose est engendrée par deux principes erronés : être sans emploi, c'est être inutile, et être inutile, c'est mener une vie absurde. En conséquence, dès que je réussissais à persuader mes patients de travailler bénévolement dans des organismes de jeunesse, des bibliothèques, de suivre des cours pour adultes, etc., en d'autres termes, dès qu'ils remplissaient leurs nombreuses heures de loisir par des activités non rémunérées mais riches de sens, leur dépression disparaissait, même si leur situation économique restait inchangée et leurs estomacs vides. La vérité, c'est que l'être humain ne vit pas que de sécurité matérielle.

VIDE EXISTENTIEL, DÉPRESSION ET SUICIDE

Comme la dépression du chômage, déclenchée par la situation socioéconomique de la personne, il existe d'autres types de dépression résultant de certaines conditions psychologiques ou physiques, et qui exigent un traitement approprié. Le sentiment d'une vie vide de sens n'a en soi rien de pathologique ; loin d'être le signe d'une névrose, je dirais plutôt qu'il prouve qu'on est humain. Le syndrome de vide existentiel est fort répandu parmi la jeunesse : les trois facettes de ce syndrome, soit la dépression, l'agressivité et la toxicomanie, sont causées par le vide existentiel, un sentiment de vide intérieur et l'absence de raison de vivre.

Tous les cas de dépression ne sont pas causés par une absence de raison de vivre, pas plus que le suicide - auquel conduit parfois la dépression - ne résulte obligatoirement d'un sentiment de vide existentiel. Toutefois, la personne aurait sans doute surmonté son envie de se suicider si elle avait eu une raison de vivre valable.

En conséquence, si une forte orientation vers la recherche d'un sens à la vie joue un rôle décisif dans la prévention du suicide, doit-on toujours intervenir lorsqu'une personne menace de se suicider ? Jeune psychiatre, j'ai passé quatre ans dans un des plus grands hôpitaux d'Autriche à la tête du pavillon qui abritait les patients souffrant d'une grave dépression et qui, pour la plupart, avaient tenté de se suicider. J'ai dû traiter quelque douze mille patients à l'époque et j'ai acquis une grande expérience, qui m'est utile chaque fois que je fais face à un patient suicidaire. Je lui dis tout d'abord que mes patients m'ont maintes fois avoué combien ils étaient heureux que leur tentative de suicide ait échoué : des semaines, des mois, des années plus tard, m'ont-ils affirmé, ils ont découvert une solution réelle à leurs problèmes, une réponse à leur question, un sens à leur vie. J'ajoute ensuite : « Même si la situation ne prend une tournure positive que dans un cas sur mille, comment pouvez-vous être sûr qu'il n'en sera pas de même pour vous ? Vous devez vivre pour voir ce qu'il en est et, *à partir de maintenant, vous êtes responsable de votre survie.* »

En ce qui touche l'agressivité, permettez-moi de relater une expérience menée par Carolyn Wood Sherif. Celle-ci avait réussi à susciter une agressivité réciproque entre des groupes de scouts et remarqué que ce sentiment ne disparaissait que lorsque les jeunes réalisaient une tâche collective comme sortir de la boue un chariot contenant leur nourriture. Ils étaient aussitôt non seulement stimulés par le défi, mais aussi unis par une tâche significative.

En ce qui concerne la toxicomanie, il faut rappeler que quatre-vingt-dix pour cent des alcooliques et tous les toxicomanes souffraient d'un sentiment profond de vide existentiel.

DÉCOUVRIR UN SENS À SA VIE

Revenons maintenant à la question du sens de la vie comme tel. Pour commencer, j'aimerais préciser que le logothérapeute s'intéresse d'abord au sens potentiel de chaque situation de la vie. En conséquence, je ne m'arrêterai pas ici au sens de la vie en général, bien que je ne nie pas qu'elle puisse en avoir un à long terme. Prenons par exemple un film : il est formé de milliers d'images individuelles, chacune d'elles chargée de signification ; or, on ne comprend pas le sens du film tant qu'on n'en a pas vu la fin et avant d'avoir saisi le sens de chacune de ses composantes et de chaque image. N'en est-il pas ainsi dans la vie ? Le sens final de la vie ne se révèle-t-il pas seulement à la fin, au seuil de la mort? Ce sens ultime ne dépend-il pas du fait que le sens potentiel de chaque situation a été, ou non, actualisé au meilleur de la connaissance et de la foi de l'individu ?

Il n'en demeure pas moins que, de l'avis du logothérapeute, le sens de la vie et la façon dont on le perçoit sont très concrets. Fondamentalement, je situerais la connaissance du sens de la vie - de la signification d'une situation concrète pour une personne - à mi-chemin entre une expérience « aha » comme la conçoit Karl Bühler et une perception gestaltiste conforme à la théorie de Max Wertheimer. À mes yeux, la perception du sens de la vie diffère de la notion gestaltiste classique qui implique la conscience soudaine d'une « image » sur un « fond ». Elle apparaît plutôt comme une possibilité se dessinant dans la réalité ou comme « ce qu'on peut faire » dans une situation donnée.

Comment procéder pour trouver un sens à sa vie ? Comme l'a dit Charlotte Bühler : « Tout ce que nous pouvons faire, c'est étudier la vie des gens qui semblent avoir découvert le sens ultime de la vie par rapport à ceux qui sont restés dans l'ignorance à ce sujet. » Outre cette approche biographique, toutefois, je propose une approche biologique. Le logothérapeute voit la conscience comme un souffleur qui nous indique au besoin le comportement à adopter dans une situation donnée. Afin de jouer ce rôle, la conscience « évalue » chaque situation à la lumière d'un ensemble de critères et de valeurs. Toutefois, nos valeurs font partie de nous et nous ne les choisissons pas consciemment. Elles se sont cristallisées au cours de l'évolution de notre espèce et sont fondées sur notre passé biologique. Konrad Lorenz avait probablement des idées semblables sur le sujet puisqu'il acquiesça avec enthousiasme lorsque je lui exposai ma théorie concernant le fondement biologique de nos valeurs. De toute façon, si nous possédons une compréhension axiologique inconsciente, nous pouvons supposer qu'elle est ultimement ancrée dans notre héritage biologique.

Comme l'enseigne la logothérapie, trois avenues principales peuvent nous révéler le sens de la vie.

La première consiste à accomplir une œuvre ou une bonne action.

La deuxième consiste à connaître et aimer quelque chose ou quelqu'un. En d'autres termes, on peut trouver un sens à sa vie non seulement dans le travail, mais aussi dans l'amour. Edith Weisskopf-Joelson a observé que le « principe selon lequel l'expérience serait aussi valable que la réalisation a des vertus thérapeutiques parce qu'il nous oblige à mettre davantage l'accent sur le monde intérieur de l'expérience plutôt que sur le monde extérieur de l'accomplissement ».

La troisième avenue qui mène au sens de la vie est encore plus importante, car elle *peut permettre à la victime impuissante d'une situation désespérée de se dépasser et de se transformer. Elle peut métamorphoser en triomphe une tragédie personnelle.* C'est encore Edith Weisskopf-Joelson qui, comme je le mentionnais plus haut, exprima l'espoir de voir la logothérapie « annuler l'effet de certaines tendances malsaines de notre culture moderne, qui donnent au malade incurable très peu de chances d'être fier de sa souffrance et de la considérer comme ennoblissante, de sorte que non seulement il est malheureux, mais qu'en plus il a honte de l'être ».

Pendant un quart de siècle, j'ai dirigé le département neurologique d'un hôpital général et observé chez mes patients une aptitude à transformer les situations pénibles auxquelles ils étaient confrontés en réussites personnelles. Nombre de prisonniers de guerre ont clairement affirmé qu'en dépit du caractère extrêmement stressant de leur captivité - malgré la torture, la maladie, la malnutrition et la solitude - ils ont tiré parti de leur expérience et sont arrivés à la transcender.

EXEMPLES VÉCUS

Les arguments les plus puissants en faveur d'un « optimisme tragique » sont issus d'exemples vécus. Jerry Long, pour citer un exemple, est un témoignage vivant du « pouvoir transcendant de l'esprit humain ». Jerry a eu le cou brisé à la suite d'un accident de plongée qui l'a rendu paraplégique à l'âge de dix-sept ans. Aujourd'hui, il peut taper à la machine à l'aide d'un bâton qu'il tient entre les dents. Il suit des cours à l'université grâce à un interphone qui lui permet non seulement d'écouter les discussions qui ont lieu en classe, mais encore d'y participer. Il occupe ses loisirs à lire, à écrire et à regarder la télévision. Il m'a écrit ceci : « Ma vie est remplie de sens. L'attitude que j'ai adoptée en ce jour fatidique est devenue ma devise personnelle : *je me suis cassé le cou, mais il ne m'a pas cassé.* Je suis en ce moment mon premier cours de psychologie à l'université. Je crois que mon infirmité ne fera qu'augmenter mon aptitude à aider les autres. Je sais que sans la souffrance je n'aurais pas atteint le niveau d'évolution auquel je suis arrivé. »

Est-ce à dire qu'il faut souffrir pour trouver un sens à sa vie ? Pas du tout. J'insiste seulement sur le fait qu'on peut trouver une raison de vivre en dépit de - ou plutôt à travers - la souffrance, si celle-ci est inévitable. Si on peut l'éviter, on doit alors en faire disparaître la cause, car souffrir inutilement n'est pas héroïque, mais masochiste. Si, par contre, on ne peut en modifier la cause, on doit changer d'attitude. Jerry n'a pas choisi de se casser le cou, mais il a pris réellement la décision de ne pas se laisser abattre par son malheur. Je n'oublierai jamais une entrevue donnée à la télévision par un cardiologue polonais qui avait participé au soulèvement du ghetto de Varsovie pendant la Seconde Guerre mondiale. « Quelle action héroïque ! » de s'exclamer le reporter. « Écoutez, répliqua calmement le médecin, prendre un fusil et tirer n'est pas si extraordinaire que cela ; mais se laisser mener par un SS à la chambre à gaz ou à une fosse commune pour y être exécuté sommairement, sans que l'on puisse rien faire pour l'en empêcher - sauf conserver sa dignité -, voilà ce j'appelle de l'héroïsme. » Un héroïsme d'attitude, si je puis dire.

Comme nous le voyons, il importe avant tout de faire preuve de créativité pour changer la situation qui nous fait souffrir.

Cependant, il est plus important encore de savoir comment souffrir, si on ne peut pas faire autrement. Il est prouvé de façon empirique que l'« homme moyen » est de cet avis. Un sondage d'opinion effectué récemment a révélé que ce ne sont pas les artistes de renom ou les grands hommes de science qui sont tenus dans la plus haute estime, mais bien ceux qui affrontent un sort difficile avec dignité.

LA CULPABILITÉ ET LA RESPONSABILITÉ

Avant d'aborder le deuxième aspect de la triade tragique, le sentiment de culpabilité, j'aimerais me dissocier d'une interprétation qui m'a toujours choqué. On dit qu'un crime est explicable dans la mesure où l'on connaît tous les facteurs biologiques, psychologiques ou sociologiques qui l'entourent. Expliquer totalement un crime équivaut à éliminer la culpabilité du criminel par des explications et à voir en celui-ci, non un être humain libre et responsable, mais une machine défectueuse. Les criminels eux-mêmes détestent être traités ainsi et préfèrent endosser la responsabilité de leurs actes. J'ai reçu un jour d'un prisonnier une lettre dans laquelle il déplorait que « le criminel n'a jamais la chance de s'expliquer. On lui offre une variété d'excuses parmi lesquelles il doit faire son choix. On jette le blâme sur la société et, dans bien des cas, sur la victime elle-même ». Lorsque je visitais des prisonniers, je leur déclarais qu'ils étaient des êtres humains comme moi, et qu'à ce titre ils avaient le droit de commettre des crimes et d'être coupables. Cependant, leur disais-je, il vous incombe de surmonter votre culpabilité en vous dépassant, en vous transformant pour le mieux. Ils se sentaient compris. J'ai reçu aussi une lettre d'un ex-prisonnier me disant qu'il avait mis sur pied un groupe de logothérapie pour ex-prisonniers. « Nous sommes vingt-sept personnes solides et les nouveaux venus parviennent à rester honnêtes grâce à la force de ceux d'entre nous qui faisaient partie du premier groupe. Un seul est retourné en prison, mais il est maintenant en liberté. »

Pour ce qui est de la notion de culpabilité collective, je pense qu'il n'est pas du tout justifié de rendre une personne responsable de la conduite d'une ou de plusieurs autres personnes. Depuis la fin de la Seconde Guerre mondiale, je ne cesse de m'élever publiquement contre la notion de culpabilité collective. Mais convaincre certaines personnes de renoncer à leurs superstitions demande certaines aptitudes didactiques. Une Américaine me fit un jour le reproche suivant: « Comment pouvez-vous continuer à écrire vos ouvrages en allemand, la langue d'Hitler ? » En guise de réponse, je lui ai demandé si elle avait des couteaux dans sa cuisine, et sur son affirmation, j'ai prétendu être confondu et choqué et me suis exclamé: « Comment pouvez-vous utiliser des couteaux alors que tant de meurtriers s'en servent pour poignarder leurs victimes ? » Elle a cessé de s'opposer à ce que j'écrive mes livres en allemand.

VIVRE JUSQU'À SA MORT

Si le troisième aspect de la triade tragique concerne la mort, il concerne aussi la vie, car les instants qui composent celle-ci meurent les uns après les autres et ne reviendront jamais. Or, le caractère transitoire de la vie ne nous invite-t-il pas à faire de chaque moment le meilleur usage possible ? Cela ne fait aucun doute, d'où mon impératif: *Vivez chaque moment de votre vie comme si vous viviez pour la deuxième fois.*

En fait, le caractère irréversible de notre vie influe sur nos actions et sur nos aptitudes à trouver un sens à chaque situation. Il influe aussi sur notre potentiel. Car dès que nous avons saisi une occasion d'actualiser le sens d'une situation, nous ne pouvons revenir en arrière. Nous l'avons déposée dans le passé où rien n'est irrémédiablement perdu. Certes, nous avons tendance à ne nous rappeler que le caractère transitoire de la vie au détriment des trésors du passé qui contient les récoltes de nos vies: nos bonnes actions, nos amours et les souffrances que nous avons affrontées avec courage et dignité.

On ne doit pas prendre en pitié les gens âgés, mais les envier plutôt. S'ils n'ont plus d'avenir, les vieux possèdent bien plus que cela. Au lieu de possibilités futures, ils possèdent des réalités passées, des potentialités qu'ils ont actualisées, des significations qu'ils ont découvertes, des valeurs qu'ils ont réalisées, et rien ni personne ne peut les déposséder de ces trésors. Quant à la possibilité de trouver un sens à la souffrance, j'affirme que la vie possède un sens inconditionnel qui va de pair avec la valeur inconditionnelle de chaque personne. C'est cela qui garantit la dignité humaine. Tout comme la vie conserve son sens dans n'importe quelles conditions, même les plus misérables, de même la valeur de chaque personne demeure parce qu'elle est fondée sur des réalisations passées et n'est pas dépendante de son utilité dans le présent.

UTILITÉ OU DIGNITÉ DE L'ÊTRE HUMAIN ?

Malheureusement, l'utilité d'une personne est habituellement définie en regard de sa contribution à la société. La société moderne est davantage axée sur l'accomplissement et, en conséquence, chérit les individus prospères et heureux, et en particulier les jeunes. En fait, elle ne tient pas compte de la valeur des autres, ne faisant pas la différence entre la valeur d'une personne en fonction de sa dignité et sa valeur en fonction de son utilité. Si on ne reconnaît pas cette différence et si on ne considère la valeur d'une personne qu'en fonction de son utilité, pourquoi ne plaide-t-on donc pas alors en faveur de l'euthanasie telle que la conçoit Hitler, c'est-à-dire tuer par « pitié » tous ceux qui ont perdu leur utilité sociale, soit à cause de leur âge, ou d'une maladie incurable, ou de facultés mentales affaiblies, ou de toute autre infirmité ?

Cette confusion entre la dignité de l'être humain et son utilité prend sa source dans le cynisme contemporain propagé dans bien des universités et par un grand nombre de psychanalystes. Cet endoctrinement se produit parfois même lors d'analyses. Le nihilisme ne prétend pas qu'il n'y a rien, il prétend que rien n'a de sens. George A. Sargent avait raison lorsqu'il élabora le concept de l'« absurdité apprise ». Il se rappelait ces paroles d'un thérapeute : « George, tu dois comprendre que le monde est une farce. Il n'y a pas de justice, tout n'est que hasard. C'est seulement quand tu comprendras cela que tu verras combien il est ridicule de se prendre au sérieux. L'univers n'a pas de but grandiose. Il est, tout simplement. Ta décision d'aujourd'hui quant à ta conduite n'a pas de signification particulière. »

On doit éviter de généraliser ce genre de critique. En principe, la formation est indispensable, mais les thérapeutes devraient se faire un devoir d'immuniser leurs étudiants contre le nihilisme plutôt que de leur inculquer un cynisme qui n'est qu'une défense contre leur propre nihilisme.

Les logothérapeutes peuvent même se conformer à certaines exigences en matière de formation établies par d'autres écoles de psychothérapie. En d'autres termes, ils peuvent hurler avec les loups, si besoin est, mais je recommande fortement qu'ils le fassent comme des moutons déguisés en loups. Nul besoin de renier la philosophie de la vie inhérente à la logothérapie. Comme l'a déjà souligné Elisabeth S. Lukas, il n'est pas difficile d'y rester loyal car « dans toute l'histoire de la psychothérapie, il n'y a jamais eu d'école aussi peu dogmatique que la logothérapie ». On ne l'impose pas à ceux qui s'intéressent à la psychothérapie. Elle ne se compare pas à un bazar oriental, mais plutôt à un supermarché. Dans le premier, on essaie de convaincre le client d'acheter un produit, tandis que, dans le second, on lui offre divers articles parmi lesquels il peut choisir ce qui lui semble utile. Lors du premier congrès mondial de logothérapie, qui eut lieu à San Diego en novembre 1980, je plaidai non seulement en faveur d'une réhumanisation de la psychothérapie, mais aussi pour ce que j'appelai la « dégouroufication de la logothérapie ». Je ne désire pas élever des perroquets qui ne font qu'imiter « la voix de leur maître », mais bien passer le flambeau à des « esprits indépendants et innovateurs ».

Sigmund Freud a un jour suggéré d'exposer à la faim un certain nombre de personnes de cultures et de niveaux sociaux différents. Selon lui, à mesure que leur faim augmenterait, toutes les différences individuelles s'aplaniraient pour faire place à l'expression uniforme de ce seul besoin. Il est heureux que Sigmund Freud n'ait jamais été interné dans un camp de concentration. Quant à ses patients, ils s'étendaient sur de somptueux divans de style victorien et non dans la crasse d'Auschwitz. Or, dans les camps de concentration, les « différences individuelles » ne s'aplanissaient pas du tout, mais au contraire s'accentuaient; les gens se montraient tels qu'ils étaient, des salauds ou des saints. Aujourd'hui, on ne doit plus hésiter à employer ce dernier terme: je pense au père Maximilian Kolbe qui, ayant été affamé puis assassiné à Auschwitz, fut canonisé en 1983. Vous m'en voudrez peut-être d'apporter des exemples qui constituent des exceptions à la règle, mais « tout ce qui est grandiose est aussi difficile à réaliser que rare ». Ainsi se termine L'*Éthique* de Spinoza. On peut certes se demander s'il est vraiment nécessaire de parler des « saints ». Ne s'agit-il pas d'honnêtes gens ? Il est vrai que les saints forment une minorité et qu'ils le resteront. Pourtant, c'est là que je vois le vrai défi de se joindre à la minorité. Cela va mal dans le monde, mais cela ira encore plus mal à moins que chacun de nous ne fasse de son mieux.

Donc, soyons vigilants, et ce, de deux façons:

Depuis Auschwitz, nous savons ce dont l'homme est capable.

Et depuis Hiroshima, nous connaissons l'enjeu.

Autres œuvres de Viktor E. Frankl

Nos raisons de vivre (The Will to Meaning), InterEditionsDunod, Paris 2009.

Le Dieu inconscient (Der unbewusste Gott), Éditions du Centurion, Paris 1975.

La psychothérapie et son image de l'homme (Das Menschenbild der Seelenheilkunde), Éditions Resma, Paris, 1970-1974.

Un psychiatre déporté témoigne. Préface de Gabriel Marcel (*Ein Psycholog erlebt das Konzentrationslager*), Éditions du Chalet, Lyon, 1967-1973.

Une liste de tous les livres de Viktor E. Frankl, et une bibliographie exhaustive sur la logothérapie/analyse existentielle peuvent être trouvées sur le site Web de l'Institut Viktor Frankl : www.viktorfrankl.org.

À propos de l'auteur

Viktor Emil Frankl a été professeur de neurologie et de psychiatrie à l'école de médecine de l'université de Vienne. Pendant vingt-cinq ans, il a dirigé la policlinique de neurologie de Vienne. La « Logothérapie ou analyse existentielle » qu'il a créée est considérée comme « La troisième école viennoise de psychothérapie ». Il a été enseignant à Harvard, Stanford, Dallas et Pittsburgh, et professeur éminent de logothérapie aux États-Unis à l'université internationale de San Diego en Californie.

Né en 1905, Frankl a obtenu son doctorat de médecine et de philosophie à l'université de Vienne. Durant la Seconde Guerre mondiale, il a été détenu trois ans à Auschwitz, Dachau et dans d'autres camps de concentration.

Pendant près de quarante ans, le Dr Frankl a donné d'innombrables conférences. Vingt-neuf universités de quatre continents - Europe, Amérique, Afrique et Asie - lui ont décerné le titre de docteur *honoris causa.* Il a reçu de nombreux prix, parmi lesquels le prix Oskar-Pfister de l'Association américaine de psychiatrie, et a été nommé membre honoraire de l'Académie des sciences d'Autriche.

Viktor E. Frankl est l'auteur de trente-neuf livres traduits en quarante langues. Son livre *Découvrir un sens à sa vie avec la logothérapie* s'est vendu à plusieurs millions d'exemplaires à travers le monde et figure dans la liste des dix livres les plus influents d'Amérique.

Viktor E. Frankl est mort à Vienne en 1997.

Table des matières

Préface de Gordon W. Allport 7
Préface de Gabriel Marcel 11
Préface à l'édition de 1984 17

PREMIÈRE PARTIE
Les expériences vécues par un psychiatre dans
un camp de concentration 19

DEUXIÈME PARTIE
La logothérapie en bref 99
La recherche d'un sens à la vie 100
Les névroses noogènes 102
La noodynamique 103
Le vide existentiel 105
Le sens de la vie 106
La responsabilité, essence de l'existence 107
Le sens de l'accomplissement 108
Le sens de l'amour 108
Le sens de la souffrance 109
Problèmes métacliniques 112
Un logodrame 112
Le super-sens 114

La vie est éphémère 115
La logothérapie et ses techniques 116
La névrose collective 121
Critique du pan-déterminisme 122
Mon credo psychiatrique 124
La psychiatrie réhumanisée 124

POSTFACE À L'ÉDITION DE 1984
Pour un optimisme tragique 127
La recherche du bonheur 128
La perte du sens de la vie 128
Raison de vivre, drogue et dépression du chômage 129
Vide existentiel, dépression et suicide 130
Découvrir un sens à sa vie 131
Exemples vécus 133
La culpabilité et la responsabilité 135
Vivre jusqu'à sa mort 136
Utilité ou dignité de l'être humain ? 137

Autres œuvres de Viktor E. Frankl 140
À propos de l'auteur 141

Suivez-nous sur le Web

Consultez nos sites Internet et inscrivez-vous à l'infolettre pour rester informé en tout temps de nos publications et de nos concours en ligne. Et croisez aussi vos auteurs préférés et notre équipe sur nos blogues !

EDITIONS-HOMME.COM
EDITIONS-JOUR.COM
EDITIONS-PETITHOMME.COM
EDITIONS-LAGRIFFE.COM
RECTOVERSO-EDITEUR.COM
QUEBEC-LIVRES.COM
EDITIONS-LASEMAINE.COM

Imprimé chez Marquis Imprimeur inc. sur du Rolland Enviro.
Ce papier contient 100% de fibres postconsommation,
est fabriqué avec un procédé sans chlore
et à partir d'énergie biogaz.